*Feiern, freuen, fröhlich sein*

MATERIALIEN ZUR GEMEINDEARBEIT

- ■ Kleinkinder
- □ Kinder
- □ Jugendliche
- □ Familien
- □ Senioren

Die Deutsche Bibliothek – CIP-Einheitsaufnahme

Ein Titeldatensatz für diese Publikation ist bei
Der Deutschen Bibliothek erhältlich.


1. Auflage
Umschlag, Typografie und Herstellung:
Dieter Kani, Stuttgart
Illustrationen: Dorothea Layer-Stahl
Druck und Bindearbeiten:
Buch- und Offsdetdruckerei Paul Schürrle, Stuttgart

ISBN 3-7797-0391-2 (Verlag Junge Gemeinde)
ISBN 3-460-25003-8 (Verlag Kath. Bibelwerk)

Alma Grüßhaber



# Feiern, freuen, fröhlich sein

## Kleinkindergottesdienste im Kirchenjahr

Verlag
Junge Gemeinde

Verlag
Katholisches Bibelwerk

# Inhalt

## Verzeichnis der Lieder

*(Genannt sind hier nur die Lieder, die in diesem Buch abgedruckt sind, nicht aber jene, auf die nur verwiesen wird.)*



## Abkürzungen der angegebenen Liederbücher

| | |
|---|---|
| EG | Evangelisches Gesangbuch |
| EH | Erdentöne – Himmelsklang, Schwabenverlag, Ostfildern |
| GL | Gotteslob (Katholisches Gesangbuch) |
| KG | Das Kindergesangbuch, Claudius Verlag, München |
| LJ | Liederbuch für die Jugend, Quell / Gütersloher Verlagshaus, Gütersloh |
| LzU | Liederbuch zum Umhängen, Menschenkinder Verlag, Münster |
| MKL | Menschenskinderlieder, Beratungsstelle für Gestaltung von Gottesdiensten, Eschersheimer Landstraße 565, 60341 Frankfurt (Ev. Landeskirche in Hessen und Nassau) |
| SL | Schwerter Liederbuch »Singt dem Herrn«, Verlag BDKJ, Paderborn |

# Einführung

## Feste unterbrechen den Alltag

Das Leben wäre langweilig und gleichförmig ohne Feste. Kinder und Erwachsene brauchen markante Orientierungspunkte im Alltag. Die Feste im Kirchenjahr bieten solche Höhepunkte.
Das Jahr wird durch seine Zeiten in einer geheimnisvollen Ordnung gegliedert. Die Festbräuche und die Abläufe in der Natur stehen dabei in enger Beziehung. So leuchtet das Licht von Weihnachten gerade in der dunkelsten Jahreszeit. Dann, wenn neues Leben erwacht und der Frühling beginnt, feiern die Christen das Fest der Auferstehung. Symbole, Bräuche und Ereignisse aus dem Leben Jesu werden bei den kirchlichen Festen eng aufeinander bezogen.
In den Gottesdiensten wird dies gefeiert und daraus können auch die Familien ihre eigene Tradition aufbauen.
So gesehen bietet das Kirchenjahr einen Gang durch die Natur, und die biblischen Erzählungen führen von Höhepunkt zu Höhepunkt - so reich ist der Schatz der Kirche.

## Feste und Bräuche

»Es wäre besser gewesen, du wärst zur selben Stunde wiedergekommen«, sagte der Fuchs. »Wenn du zum Beispiel um vier Uhr nachmittags kommst, kann ich um drei Uhr anfangen, glücklich zu sein. Je mehr die Zeit vergeht, um so glücklicher werde ich mich fühlen. Um vier Uhr werde ich mich schon aufregen und beunruhigen; ich werde erfahren, wie teuer das Glück ist. Wenn du aber irgendwann kommst, kann ich nie wissen, wann mein Herz da sein soll. Es muss feste Bräuche geben ...« (Antoine de Saint-Exupéry, in: »Der kleine Prinz«)

Was der Fuchs dem kleinen Prinzen mitteilt, das brauchen die Kinder: Wiederkehrendes, Verlässliches, Verinnerbares. Das Glück der Vorfreude muss erfahren werden. Das Wort »Fest« muss in Kindern einen inneren Glanz und eine Festfreude auslösen. Mit dem »Weihnachtsfest« muss sich ein inneres Bild verbinden, etwas, das es wert ist, alle Jahre wieder gefeiert zu werden. Bräuche wollen helfen, dass Feste ihr eigenes Profil haben.
So gehört der Adventskranz absolut zu den vier Sonntagen im Advent, der Weihnachtsbaum zum Christfest, die Ostereier zu Ostern. Das klingt in unserer Zeit etwas antiquiert, da es doch im Herbst schon Nikoläuse gibt und die ersten Ostereier mancherorts schon im Januar im Verkaufsregal stehen und die Dekoration zu jedem Fest Wochen vorher käuflich ist. Vielleicht ist dies das Besondere, dass wir in unseren Kirchen die Feste feiern, wo sie hingehören - in ihrer Zeit, mit ihrer Geschichte.
Beachten Sie aber auch, dass Kinder »konservative Wünsche« haben: gleiche Orte, gleiche Worte, gleiche Bedingungen. Das sollte auch für das Feiern in der Kirche gelten, etwa dieselben Lieder alle Jahre wieder zu singen. Wenn Kinder ein Lied oder ein Gebet können, sind sie überglücklich, wenn dies wiederkehrt.

## Feste, die wir im Kirchenjahr feiern

Mit dem **Advent** öffnet sich die Tür ins neue Kirchenjahr. Der Adventskranz ist das markante Symbol, die vier Kerzen der Hinweis auf das Licht, das kommen wird. Die Erzählungen aus der Bibel greifen Worte der Zusage Gottes auf: Er wird einen senden, der rettet. Johannes der Täufer wird geboren, Jesus wird angekündigt.

**Weihnachten** ist ein Glanzfest. Geheimnisvolles geschieht, Wünsche gehen in Erfüllung. Die alte Geschichte, die jedes Jahr neu erzählt wird, beginnt mit den wundersamen Worten: »Es begab sich aber ...« Und dann wird berichtet, wie Gott ganz klein zur Welt kommt, in dem Kind Jesus, von einem Vater und einer Mutter umsorgt. Alle haben daran teil, die Menschen und die Tiere. Und weil sich alle freuen, teilen sie diese Freude in Geschenken, in Geheimnissen, im Feiern miteinander.

Die **Fastenzeit** wird mit dem bunten Treiben von Fasching eingeläutet. Hier wird verdeutlicht, dass Gott den unbeschwerten, fröhlichen Menschen liebt.

Die **Osterzeit** birgt das Erwachen von neuem Leben. Frühlingsblumen und bunte Ostereier gehören dazu und die Botschaft: Jesus ist auferstanden, freut euch in allen Landen.
Die Jünger von Emmaus wissen davon, aber auch die Legende über die Heilige Katharina (s. S. 76) weiß vom Wunder der Auferstehung.

Das **Pfingstfest** weist auf Kraftvolles hin: Die Menschen erleben Gottes Nähe im Wind und im Feuer. Gottes Geist macht Beine und eine junge Kirche entsteht. Bewegung und Begeisterung ergreift die Frauen und Männer in Jerusalem. Bis heute ist Pfingsten ein bewegendes Fest, der Geburtstag der Kirche.

Das **Erntedankfest** mit seiner bunten Fülle lädt zum Danken ein. Wir haben es in diesem Buch unterschlagen, obwohl es auch in den Festkreis gehört. Hier gibt es viele Gestaltungsanregungen in anderen Büchern. In der Reihe »Materialien zur Gemeindearbeit« erschien von mir bereits ein Band mit Kleinkindergottesdiensten zum Thema »Schöpfung«, was diesem Festbereich eng verwandt ist: »Komm in Gottes Schöpfungsgarten«.

Der Alltag muss vom Festkreis angesteckt und belebt werden. Für unser Handeln brauchen wir Vorbilder – auch Vorbilder im Glauben. »Ein Heiliger ist jemand, der tut, was andere tun, aber nicht tut, wie es andere tun«, sagte Vinzenz Pallotti. Mit zwei Lebensgeschichten laden wir zu Entdeckungen ein: Elisabeth von Thüringen und Franz von Assisi. Zwei Menschen, die uns vorgelebt haben, achtsam zu sein. Für die Kranken und Schwachen tritt die Heilige Elisabeth ein. Der Heilige Franz von Assisi wendet sich den Tieren zu und preist die Schöpfung Gottes mit seinem berühmten »Sonnengesang«.

Vielleicht gelingt es, mit diesen Gottesdienstentwürfen den Festkreis im Kirchenjahr bewusster zu feiern und Ausdrucksformen für das Glauben und Hoffen in den Gottesdiensten miteinander zu gestalten. Feste sind »Brunnenstuben des Lebens«, die es zu entdecken gilt.

*Alma Grüßhaber*

# Hallo, mach mit! – Und auf Wiedersehen!

*Von den Ritualen, die einen Gottesdienst bedeutsam machen*

## Jemand sagt »Hallo«: Das Begrüßen

Ankommen hat damit zu tun, dass ich willkommen bin. Kinder brauchen für den Beginn ein Ritual, das hilft, Fremdes zu überwinden. Dazu folgende Tipps:
- Eltern und Kinder ziehen gemeinsam in die Kirche ein.
- Am Anfang fassen sich alle an der Hand und sagen sich Guten Tag.
- Das Begrüßungslied holt alle Besucher ab (siehe Liedhinweise zu den Gottesdiensten).
- Der Pfarrer oder die Pfarrerin begrüßt und zieht sich vor den Kindern den Talar oder das Messgewand an.
- Der gottesdienstliche Eröffnungsgruß (Votum) wird erläutert: »Wir feiern diesen Gottesdienst im Namen Gottes des Vaters ...«
- Alle, die am Gottesdienst beteiligt sind, stellen sich vor.
- Besonderheiten benennen:
  - Heute wird ein Kind getauft.
  - Unsere Kirche ist besonders geschmückt, weil ...
  - Heute feiern wir ...

## Jemand sagt: »Mach mit« – Das Beten

In jedem Gottesdienst sollen die Kinder in die Gebete der Kirche eingeführt werden. Auch kleine Gebete aus dem Alltag mit Dank, Lob und Bitte werden miteinander gebetet. Beten ist eine großartige Gemeinschaftserfahrung. Alle gehören dazu und sind eingeladen.
Zum Beten gehören Worte und Gebärden. Wir Erwachsene setzen oft voraus, dass die Kinder wissen, was zum Beten gehört: die Worte, die Gebärde, die Haltung. Wir setzen Stille und Konzentration voraus – dabei müssen Kinder diese Bedeutung erst erfahren und erleben.
Kinder brauchen eine besondere Einladung zum Beten, – immer wieder. Dies könnte so geschehen:

*Wenn wir mit Gott reden, sagen wir ihm, was wir auf dem Herzen haben.*
*Eine/einer spricht die Worte. (Beim Vaterunser sprechen alle mit.)*
*Dazu stehen wir auf (oder setzen uns ruhig hin).*
*Zuerst holen wir tief Atem und stehen ganz aufmerksam.*
*Dann falten wir unsere Hände, dass sie nicht unruhig umher zappeln.*
*Wenn ihr wollt, könnt ihr die Augen schließen und an Gott denken.*
*Jedes Gebet schließen wir mit einem »Amen«, das wir alle laut sagen.*
*Amen heißt: »Das ist fest, das gilt.«*

Da kleine Kinder lange Gebete nicht verstehen, sollte auf Kürze geachtet werden. Reime könnten mit Gebärden gesprochen werden. Der einfache Kehrvers zu einem Psalm: »Gott, du bist für uns da. Amen.« könnte so gestaltet werden:

| | |
|---|---|
| Gott | *(einen großen Kreis mit den Händen beschreiben)* |
| du bist | *(mit dem Zeigefinger auf das Altarkreuz oder die Osterkerze zeigen)* |
| für uns | *(alle berühren sich an der Schulter)* |
| da. | *(mit den Händen eine Schale formen)* |
| Amen. | *(dem Nachbarn die Hand drücken)* |

Dies zwei- bis dreimal wiederholen.

## Jemand sagt »Auf Wiedersehen! Bis zum nächsten Mal!« – Das Verabschieden

Verabschieden fällt jedem Kind schwer. Denn nun sind die Menschen bekannt, kleine Freundschaften geschlossen, der Kirchenraum ist vertrauter. Verabschieden, zurücklassen und weitergehen ist Loslassen. Nichts ist von Dauer, auch ein Gottesdienst nicht.
Jeder Gottesdienst hat bereits ein Ritual für den Schluss: den Segen. Er wird am Ende eines Gottesdienstes zugesprochen. Mit den Kindern könnte der Segen so gestaltet werden:

— Einen großen Kreis bilden, den Nachbarn die Hand auf die Schulter legen. Folgender Segen (aus Psalm 121,8), der das Kommen und das Gehen benennt und den kleinen und großen Menschen unter Gottes Schutz stellt, wird vom Pfarrer/von der Pfarrerin gesprochen:

  *Der behüte deinen Ausgang und Eingang*
  *von nun an bis in Ewigkeit. Amen.*

— Jede Familie wird gesegnet: Eltern und Kinder stehen im Kreis zusammen. Der Pfarrer oder die Pfarrerin geht zu jeder Familie, zeigt mit beiden Händen ein Dach und spricht:

  *Gott behüte euch.*
  *Er beschütze euch wie in einem Haus.*
  *Er gebe euch Frieden, jetzt und immer. Amen.*

— Ein Segenslied wird gesungen, alle halten sich dabei an der Hand.
— Nach dem Segen gemeinsam aus der Kirche ausziehen, eventuell mit einem Orgelspiel.

# Advent und Weihnachten

Zum Thema

## Dazu wollen wir anstiften

Advent und Weihnachten liegen bei uns in den dunkelsten Wochen des Jahres. Es ist eine Zeit voller Wunder und Geheimnisse. Lichter werden entzündet, Tannenduft erfüllt die Räume. Was dunkel ist, soll hell erstrahlen.

Für Kinder ist diese Zeit in ihrem kindlichen Erleben kostbar: Vertrautes kehrt wieder, die Vorfreude auf Weihnachten weckt Hoffnungen auf Heiles, Vollkommenes, Glänzendes. Rituale beleben den Alltag. Das Warten wird eingeübt und gestaltet: Im gemeinsamen Feiern, beim Singen und Musizieren, beim Erzählen und Vorbereiten. Alle Sinne werden angesprochen.

Weihnachten ist das Fest der Kinder, denn ein Kind wird geboren. Weihnachten ist das Fest der Familie, denn eine kleine Familie erlebt die Freude der Geburt. Weihnachten ist das Fest der Hoffnung: Lichterglanz und Geschenke weisen auf das Gottesgeschenk hin.

So geht es bei diesen Gottesdiensten mit Kleinkindern um Licht und Dunkel, um die Freude und das Fest, um das Kleine und scheinbar Unbedeutende, das plötzlich wichtig wird.

## Theologische Überlegungen: Wie wir von Gott erzählen können

Die Geburtsgeschichten im Lukas- und Matthäusevangelium sind eigentlich keine Geschichten für Kleinkinder. Hart waren die Zeiten. In unsere Zeit übertragen könnte man sagen: Jesus kommt als Flüchtlingskind in einem Stall zur Welt. Kaum sind die drei Weisen abgereist, schon schickt Herodes seine Späher aus, um das Kind zu ermorden. Gott kommt in die Zerbrochenheit und in die Dunkelheit der Welt.

Andererseits gibt es in fast keiner anderen Geschichte der Bibel soviel Nähe zu Kindern, weil Gott selbst als kleines Kind in die Geborgenheit einer Familie kommt. Das verstehen auch die Allerkleinsten: mit der Geburt eines Kindes, mit einem Baby, beginnt etwas Neues. Und dieses Kind ist Jesus. Er ist das Geschenk und der Grund allen Feierns.

Lukas hat die Geburtsgeschichten aufgeschrieben, die am meisten die Weihnachtstradition geprägt haben. Nur er erzählt von der Geburt im Stall, von den Hirten und dem Gesang der Engel. Er ist ein genialer Erzähler. Auch die feinsten Nuancen lässt er nicht aus. Er beschreibt, wie Menschen berührt werden und in Bewegung kommen: eine Maria etwa oder ein Josef. Auch das unscheinbare Priesterpaar Zacharias und Elisabet rückt er auf die Bühne der Weihnachtsgeschichte. Was will er damit sagen?

1. Im Kind kommt Gottes Heil. Johannes heißt: Gott ist gnädig. Er wendet sich dem Menschen zu. Der Name Jesus heißt: Gott hilft.
2. Gott bedient sich der Menschen, die hoffend und bereit sind: Maria und Elisabet, Josef und Zacharias, arme, unscheinbare Hirten.
3. Gott schickt Boten, damit die Menschen ihn hören. Es sind die Engel, die seine Botschaft überbringen: der Engel im Tempel, der das Gebet des Zacharias unterbricht. Der Engel, der Maria besucht und ihr Großes verspricht. Die Engel, die den Hirten auf den Feldern von Bethlehem erscheinen und deren Lobgesang zu hören ist.

Wenn wir mit den Kindern Advent und Weihnachten feiern, dann werden wir auswählen, welche Geschehnisse wir erzählen. Drei Erzählvarianten stellen wir für die Gottesdienstentwürfe vor:

— Geburt des Johannes: »Wir feiern ein Fest«
— Gäste beim Kind: »Das Weihnachtslicht«
— Geburt im Stall: »Ein Esel geht nach Bethlehem«

# Wir feiern ein Fest

*Gottesdienst zur Adventszeit (Lukas 1,5–25.57–66)*

## Religionspädagogische Überlegungen

Kleine Kinder werden bei dieser Geschichte Etliches zum Staunen haben: der Engel, der (ausnahmsweise) den Vater besucht. Die Frau Elisabet, die sich auf das Kind freut. Das Kind, das zur Verwunderung aller Gäste einen seltenen Namen bekommt.

Jede Geburt ist ein Fest. Ein neues Leben beginnt. Freunde und Nachbarn feiern mit. So steht in diesen Entwürfen das Feiern im Vordergrund. Im Hintergrund bleibt der Lebensweg des Johannes. Das Feiern kann in der Adventszeit geschehen. Aber auch das Brauchtum, den Namenstag zu feiern, könnte – aus Elementen dieses Gottesdienstes gestaltet – aufgegriffen werden.

## Zur Darbietung und Gestaltung

Die Erzählung von der Geburt Jesu in Lukas 1 beginnt mit zwei Familiengeschichten, in denen Söhne geboren werden. Da sind Maria und Josef. Ihnen wird Jesus geschenkt. Da sind Zacharias und Elisabet, die Eltern von Johannes. Sie sind ein hochbetagtes Priesterpaar. Elisabet ist die Kusine von Maria.

Zacharias ist Priester. Er verrichtet seinen Tempeldienst entsprechend des alttestamentlichen Gesetzes, denn zweimal im Jahr muss er vierzehn Tage nach Jerusalem und seinen Dienst tun. Nichts Spektakuläres ist vorgegeben. Zacharias zelebriert wie üblich nach der Priesterordnung ein Räucheropfer im heiligen Bereich. Er spricht ein Bußgebet mit den Bitten um das endzeitliche Heil (Dan 9,20). Er spricht ein Gebet für sein Volk und für alle Menschen, nicht für sein privates Wohlergehen. Während er betet, redet ein Engel mit ihm und verspricht ihm einen Sohn. Er und seine Frau werden ein Kind bekommen. Dieser Sohn wird Johannes heißen und der Wegbereiter für den Messias sein. Zum Zeichen, dass dies geschehen wird, muss Zacharias bis zur Geburt des Kindes stumm bleiben.

Elisabet vertraut und glaubt. Was ihr Mann nach seiner stummen Rückkehr aus dem Tempel niederschreibt, begreift sie zwar nicht. Sie, die Kinderlose, soll Mutter werden. Fünf Monate bewahrt sie ihr Glück für sich allein, dann erfahren es andere, z.B. ihre Verwandte Maria. Als das Kind geboren wird, stimmt sie der Namensgebung zu, obwohl niemand in der Familie so heißt.

Johannes hat schon im Voraus einen Namen: Gott ist gnädig, heißt sein Name. Dieser Name erinnert an Gottes Versprechen. Große Hoffnung ruht auf dem Kind. Und er wird über sich hinaus weisen. Er wird ein Bote Gottes werden.

Mit der Geburt des Johannes bricht eine neue Zeit an: Hoffnung soll wachsen, dass Gott seine Menschen nicht im Stich lässt, obgleich die Römer im Land herrschen, die Menschen unterdrückt sind und Angst und Sorge umgehen. Gott will diese Resignation in Hoffnung verwandeln. Sein Fest beginnt mit der Geburt dieser beiden Kinder, Johannes und Jesus.

# Wir feiern ein Fest - Ein Gottesdienst zur Geburtsgeschichte des Johannes

*(Entwurf und Idee: Christuskirchengemeinde Kirchheim/Teck, B. Schoch, R. Müller-Welzek, W. Zink, I. Gruel und Pfarrer M. Schoch)*

**Intention:**

Der Advent ist eine Freudenzeit. Wir feiern ein Dankfest und erinnern uns an die Geburt des Johannes.

**Vorbereitungen:**

Einen Adventskranz aufstellen. Ein Paket (Umzugskarton) vorbereiten: Verstaut sind darin alle Gegenstände, die für einen festlichen Tisch gebraucht werden (Tischdecke, Servietten, Kerzen, Kerzenständer, Blumenvase und Blumen, Hefezopf - bereits aufgeschnitten).
Geschenkpäckchen mit je einer verzierten Kerze als Geschenke für jedes Kind.
Ein Päckchen mit den Dias oder eine Rolle mit Bildern. Der Altar oder ein bereitgestellter Tisch sind leer.

**Liturgischer Ablauf:**

Glockenläuten
Instrumentalstück
Begrüßung
Kerze anzünden: Wir feiern nicht allein. Gott ist da. Wir zünden Kerzen an als Zeichen, dass er mit seinem Licht jetzt bei uns ist. Eventuell »Einführung: Adventskranz« verwenden (siehe unten).
Lied: »Ein Kind ist uns geboren« (Seite 19)
Gebet: »Wie fröhlich bin ich aufgewacht« (Seite 18)
Aktion: »Der festliche Tisch« (Seite 16)
Erzählung zu den Dias oder zu selbst gestalteten Bildern (Seite 17)
Überleitung zum Fest (Seite 16)
Lied zum Tanz: »Guter Gott, wir danken dir« (Seite 19)
Gemeinsames Essen: Gebäck wird ausgeteilt.
Gebet: »Lieber Gott, ich bin noch klein« (Seite 18)
Vaterunser
Schlusslied: »Gott dein guter Segen« (KG 220; LJ 382; LzU 31; abgedruckt auch in »Komm in Gottes Schöpfungsgarten«, dem ersten Band der Reihe »Materialien zur Gemeindearbeit«, S. 122)
Segen
Schluss: Jedes Kind bekommt in einem Päckchen eine Geburtstagskerze mit, die verziert wurde.

## Bausteine zum Gottesdienst

### Einführung: Adventskranz

*Der einladende Raum*

Alle Jahre wieder stellen wir einen grünen Kranz auf. Wir schmücken ihn mit vier Kerzen. Jeden Sonntag zünden wir eine weitere Kerze an, bis alle vier Kerzen brennen. Warum tun wir das? Der Adventskranz soll uns drei Dinge vermitteln:
1. Der Kreis ist rund, ohne Kanten und Ecken. Gott hat versprochen, die Erde ganz zu machen. Ohne Anfang und Ende. Das ist das Zeichen für die neue Welt, die Gott in Aussicht stellt.
2. Wir nehmen nicht irgendeinen Kranz. Wir nehmen grüne Zweige. Grün ist die Farbe der Hoffnung, des Lebens. Dieses Grün sagt: Mitten im Winter, in Dunkel und Kälte könnt ihr Menschen hoffen.

3. Wir stecken Lichter auf. Vier Kerzen, für jeden Sonntag ein Licht. Diese vier Kerzen sagen uns, dass ein heller Schein auf Weihnachten weist. Wir warten auf Gottes großes Geschenk.

## Aktion: »Der festliche Tisch«

Heute ist ein besonderer Tag. Wir feiern ein Fest. Was alles gehört zu einem Fest? *(Kinder dürfen aufzählen.)*
Was fehlt uns zum Feiern? *(Ein Mitarbeiter kommt als Postbote verkleidet herein und überbringt ein großes Paket, darin sind alle Sachen, die für ein Fest gebraucht werden.)*
Alle Kinder kommen nach vorne und bilden einen Kreis um das Paket. Eine Mitarbeiterin packt es aus und gibt jedem Kind etwas in die Hand. Dann wird die Reihenfolge des Aufbauens und Schmückens festgelegt. Die Kinder gestalten den Altar/Tisch. *(Wenn sehr viele Kinder zu erwarten sind, eventuell viele Tannenzweige in den Karton legen, so dass der Fuß des Altars/die Tischmitte auch geschmückt werden kann, denn alle sollen beteiligt sein.)*

Danach nehmen die Kinder wieder ihre Plätze ein.

## Überleitung zum Fest

Ein Kind ist geboren. Johannes ist sein Name. Alle, Elisabet und Zacharias, die Freunde und Nachbarn haben sich riesig über das Kind gefreut und ein Fest gefeiert, ein Geburtstagsfest. Auch wir freuen uns und feiern mit. Wir feiern jetzt ein Fest miteinander. Und zu einem Fest gehört auch das Danken und Tanzen. Alle Kinder dürfen jetzt nach vorne kommen.
Wir fassen uns an den Händen und bilden eine lange Schlange. Jetzt tanzen wir durch die Kirche und singen dabei: »Guter Gott, wir danken dir« (siehe Seite 19; das Lied wird mehrmals gesungen, bis alle Kinder wieder an ihrem Platz sind).

*Die Erzählung*

## Die Freude über ein Kind

In einem kleinen Körbchen schläft ein Baby. Es ist in wunderschöne Tücher gewickelt: rote, blaue und grüne Stoffe. Stolz beugen sich die Eltern über das Körbchen. »Gleich werden unsere Freunde dich sehen wollen«, sagt die Mutter Elisabet. Der Vater nickt. Er freut sich auf diesen Tag. Sein kleiner Sohn soll heute seinen Namen bekommen. Mit den Freunden und Verwandten werden sie ins Haus Gottes gehen. Vorsichtig hebt der Vater das schlafende Baby hoch. Leise bewegt er die Lippen.
Da pocht es an die Tür. Hübsch gekleidete Menschen kommen. Sie treten ein, um den Eltern Elisabet und Zacharias zu diesem Kind Glück zu wünschen. Sie kommen aber auch, um dabei zu sein, wenn dieses Kind seinen Namen erhält. Elisabet schüttelt allen die Hände und legt ein Tuch um das Kind. Dann nimmt sie es fest in die Arme. Der Vater Zacharias begrüßt jeden Gast. Sie sehen ihn verwundert an, weil er ohne Stimme spricht. Schnell holt er eine Tontafel. Darauf schreibt er: »Gott hat uns diesen Sohn geschenkt. Weil ich es nicht glauben wollte, hat er mir die Stimme genommen. Heute soll dieses Kind seinen Namen bekommen.« Betroffen nicken alle. Ja, das haben sie gehört, diese seltsame Geschichte. Und deshalb sind sie da, weil sie dieses Fest mitfeiern wollen.

Joel, der Bruder, legt Zacharias die Hand auf die Schulter. »Du wirst sehen, es wird alles gut werden. Gott hat euch dieses Kind geschenkt«, sagt er laut. Dann gehen alle zum Haus Gottes. Zacharias hat noch schnell seine Tontafel eingesteckt. Im Tempel wartet der Priester auf sie. Alle stellen sich um das Kind.
»Wie soll das Kind heißen?, fragt der Priester. »Johannes«, ruft Elisabet. »Du weißt doch, jedes Kind erhält den Namen des Vaters oder Großvaters«, sagt der Priester zu ihr. Zacharias aber schüttelt den Kopf. Er holt seine Tontafel und schreibt. Dann hält er die Tafel in die Höhe. »JOHANNES« steht darauf. Und plötzlich kann Zacharias wieder reden. »Johannes soll dieses Kind heißen, das uns geschenkt ist. So hat es mir der Engel gesagt, den mir Gott schickte.«
Die Verwandten schütteln verwundert den Kopf. Das haben sie noch nie gehört. Aber Elisabet, die Mutter, freut sich. Sie wiegt ihr Baby und sagt: »Johannes, das ist ein wunderschöner Name. 'Gott sieht uns an' bedeutet er und das ist ein Wunder. Wir haben ein Kind, das diesen Namen hat!«

*(Alma Grüßhaber)*

## Er soll Johannes heißen

*(Erzählung zu der Diaserie »Zacharias und Elisabet« aus der Reihe »Was uns die Bibel erzählt«. Bilder von Kees de Kort. Erzählung auch in: »Bibelbilderbuch«, Bd. 3, Deutsche Bibelgesellschaft, Stuttgart)*

An der Tür steht Elisabet. *1. Bild*
Sie winkt ihrem Mann Zacharias nach: »Auf Wiedersehen, bis bald.«
Zacharias winkt zurück. »Auf Wiedersehen«, ruft er.

Zacharias geht in die große Stadt Jerusalem. *2. Bild*
In Jerusalem steht das Haus Gottes, der Tempel.
Nur die Priester dürfen in den Tempel. Sie beten dort zu Gott.
Zacharias ist ein Priester.

Jetzt ist Zacharias im Tempel. Er steht am Altar. *3. Bild*
Plötzlich ist da ein Engel. Er sagt zu Zacharias:
»Ich habe eine Nachricht von Gott. Gott hat euer Gebet erhört.
So lange habt ihr euch ein Kind gewünscht.
Ihr werdet ein Baby bekommen, einen Jungen.
Wenn er groß ist, wird er sehr berühmt sein.«

Zacharias sagt zu dem Engel: »Wie kann das sein? *4. Bild*
Meine Frau und ich sind doch zu alt, um ein Baby zu bekommen!«
Der Engel sagt: »Gott hat es gesagt. Gott tut, was er verspricht.
Weil du mir nicht geglaubt hast, kannst du nicht mehr sprechen,
bis das Baby da ist.«

Zacharias ist wieder zu Hause bei Elisabet. *5. Bild*
Er kann ihr nicht erzählen, was passiert ist, weil er nicht sprechen kann.
Also schreibt er alles auf.
Elisabet liest es und freut sich auf das Kind.

*Leerbild*

Inzwischen sind Wochen und Monate vergangen, eine lange Zeit.

*6. Bild*

Es ist soweit: Elisabet hat tatsächlich einen Jungen geboren.
Die Nachbarn kommen, um das Kind zu sehen.
Sie freuen sich und gratulieren.
Sie wollen wissen, wie das Baby heißt. »Johannes«, sagt Elisabet.
»Aber Johannes heißt doch niemand in eurer Familie!
Nennt ihn doch nach seinem Vater Zacharias«, sagen die Nachbarn.

*7. Bild*

Sie fragen den Vater: »Wie soll das Kind heißen«?
Zacharias schreibt »Johannes«.
Im gleichen Augenblick kann er wieder sprechen.
Er singt vor Freude: »Gott, wir danken dir. Du liebst uns.«

*(Nacherzählung von Martin Schoch, Pfarrer)*

*Rituale und Gebete*

## Wie fröhlich bin ich aufgewacht

Wie fröhlich bin ich aufgewacht,
wie hab ich geschlafen so sanft die Nacht!
Hab Dank, du Vater im Himmel mein,
dass du hast wollen bei mir sein.
Behüte mich auch diesen Tag,
dass mir kein Leid geschehen mag.

*(mündlich überliefert)*

## Lieber Gott, ich bin noch klein

Lieber Gott, ich bin noch klein,
kann so vieles nicht allein.
Drum lass Menschen sein auf Erden,
die mir helfen, groß zu werden.
Die mich nähren,
die mich kleiden,
die mich führen,
die mich leiten,
die mich trösten, wenn ich weine.
Lieber Gott, und dieses eine:
Wenn ich's einmal schlimm getrieben,
mach, dass sie mich trotzdem lieben.



## Du bist das größte Geschenk

Lieber Gott, wir freuen uns an den Lichtern im Advent,
an dem Grün der Tannenzweige.
Wir freuen uns, dass Weihnachten wird.
Du bist das größte Geschenk.
Du kommst als kleines Kind in unsere Welt.
Danke, dass du zu uns kommst.
Das macht uns froh. *(A. Grüßhaber)*

## Ein Kind ist uns geboren

2. Die Hirten hörn das Singen
der frohen Engelschar.
Gekrönte Fürsten bringen
Gold, Weihrauch, Myrrhen dar.
Sie legen Herz und Krone
zu Jesu Füßen hin;
sie sehn in Davids Sohne
Gott selbst und preisen ihn.

3. Erfüll mit Deinen Gnaden,
Herr Jesu, dieses Haus!
Tod, Krankheit, Seelenschaden,
Brand, Unglück treib hinaus.
Lass hier den Frieden grünen,
verbanne Zank und Streit,
dass wir Dir fröhlich dienen
jetzt und in Ewigkeit!

Text: Haussegen aus Sachrang/Oberbayern; Melodie: Aus Oberbayern

## Guter Gott, wir danken dir

2. Guter Gott, wir singen dir
an unserm Fest ein Lied
und zeigen unsere Freude so,
dass es ein jeder sieht.

3. Guter Gott, wir bitten dich,
was auch geschehen mag,
begleite und beschütze uns,
an jedem neuen Tag.

Text: Reinhard Bäcker; Musik: Detlev Jöcker. Aus Buch, CD und MC: »Heut ist ein Tag, an dem ich singen kann 2«

## Ich zünde an mein Licht

2. So hell brennt unser Licht,
denn Gott vergisst uns nicht.
Wir freun uns, wenn die Kerze brennt,
und feiern den Advent.

Text: Rolf Krenzer, Melodie: Manfred Bauer
Aus: »Herr, du bist mein Freund«, S. 56.


***Weitere Lieder***

»Wir feiern heut‘ ein Fest« (SL 5)
»Lasst uns feiern« (KG 208; LzU 63)
»Kommt alle her« (KG 185; abgedruckt auch in »Komm in Gottes Schöpfungsgarten«, dem ersten Band der Reihe »Materialien zur Gemeindearbeit«, S. 114)
»Gott, dein guter Segen« (KG 220, LJ 382, LzU 31, abgedruckt auch in »Komm in Gottes Schöpfungsgarten«, S. 122)

*Spiele, Basteln Kreatives*

## Mein rechter Platz ist leer

Alle Kinder sitzen im Kreis. Ein Stuhl ist frei. Die Spielleiterin ruft auf: »Mein rechter Platz ist leer, da wünsche ich mir die (Klara) /den (Marius) her.« Das aufgerufene Kind setzt sich auf den Platz und darf weitermachen.

## Ball zuwerfen

Alle sitzen im Kreis. Ein Stoffball oder ein Tuch wird zugeworfen und der Name des Empfängers gerufen: Ich werfe den Ball für (Maike). Das angesprochene Kind fängt auf und führt das Spiel weiter.

## Glitzerndes Namensschild

**Material:**

Einfache Briefkarten (A 6 Format), Weißleim (Ponal), Glitzerpulver

**Vorbereitung:**

Tische zum Auslegen bereitstellen

**Herstellung:**

Auf die Briefkarten werden vor Beginn des Gottesdienstes mit weißem Leim die Vornamen der Kinder geschrieben (Mitarbeiter). Die Kinder streuen anschließend Glitzerpulver darüber. Nach dem gemeinsamen Feiern kann dieses Schild mitgenommen werden.

## Tischset mit den eigenen Namensbuchstaben

**Material:**

Karton, in verschiedenen Farben, auf DIN A 4-Format zugeschnitten.
Druckbuchstaben (gibt es in Bastelgeschäften),
Stempelkissen oder vorbereitete Farbe.
(*Tipp:* Buchstaben gibt es auch aus Moosgummi; sie können auf eine Holzleiste aufgeklebt werden und eignen sich zum Drucken. Darauf achten, dass die Buchstaben seitenverkehrt aufgeklebt sind!)

**Herstellung:**

Die Kinder drücken ihre Namensbuchstaben auf das Tischset. Für Kleinstkinder Wachsmalblöcke bereitlegen. Sie sollten frei malen dürfen. Wer das Set verzieren möchte, kann mit der Schere den Rand einfransen.

## Geburtstagskerze verzieren

**Material:**

Je Kind eine weiße Kerze, verschiedenfarbige Wachsplättchen

**Werkzeug:**

Ausstecherförmchen aus der Puppenküche

**Vorbereitung:**

Verschiedene Motive mit den Ausstecherförmchen aus den Wachsplatten ausstechen und in einigen Schalen auslegen.

**Herstellung:**

Jedes Kind erhält eine Kerze, holt sich 1–2 Wachsmotive und verziert damit seine Kerze. Wachsreste können mit verwendet werden.

## Engel zum Aufstellen

**Material:**

Tonpapier in lila, gold oder weiß,
Goldstift

**Herstellung:**

Nach Schablone (Seite 22) zuschneiden und mit dem Goldstift einige Konturen ausmalen.
Eignet sich als kleines Geschenk.

*Literatur:*

»Zacharias und Elisabet«, aus der Reihe: »Was uns die Bibel erzählt«. Bilder von Kees de Kort. Erzählung auch in: »Bibelbilderbuch«, Bd. 3, Deutsche Bibelgesellschaft, Stuttgart

Detlev Jöcker, »Hört ihr alle Glocken läuten. Die schönsten Weihnachtslieder und viele weitere Anregungen«, Menschenkinder Verlag, Münster

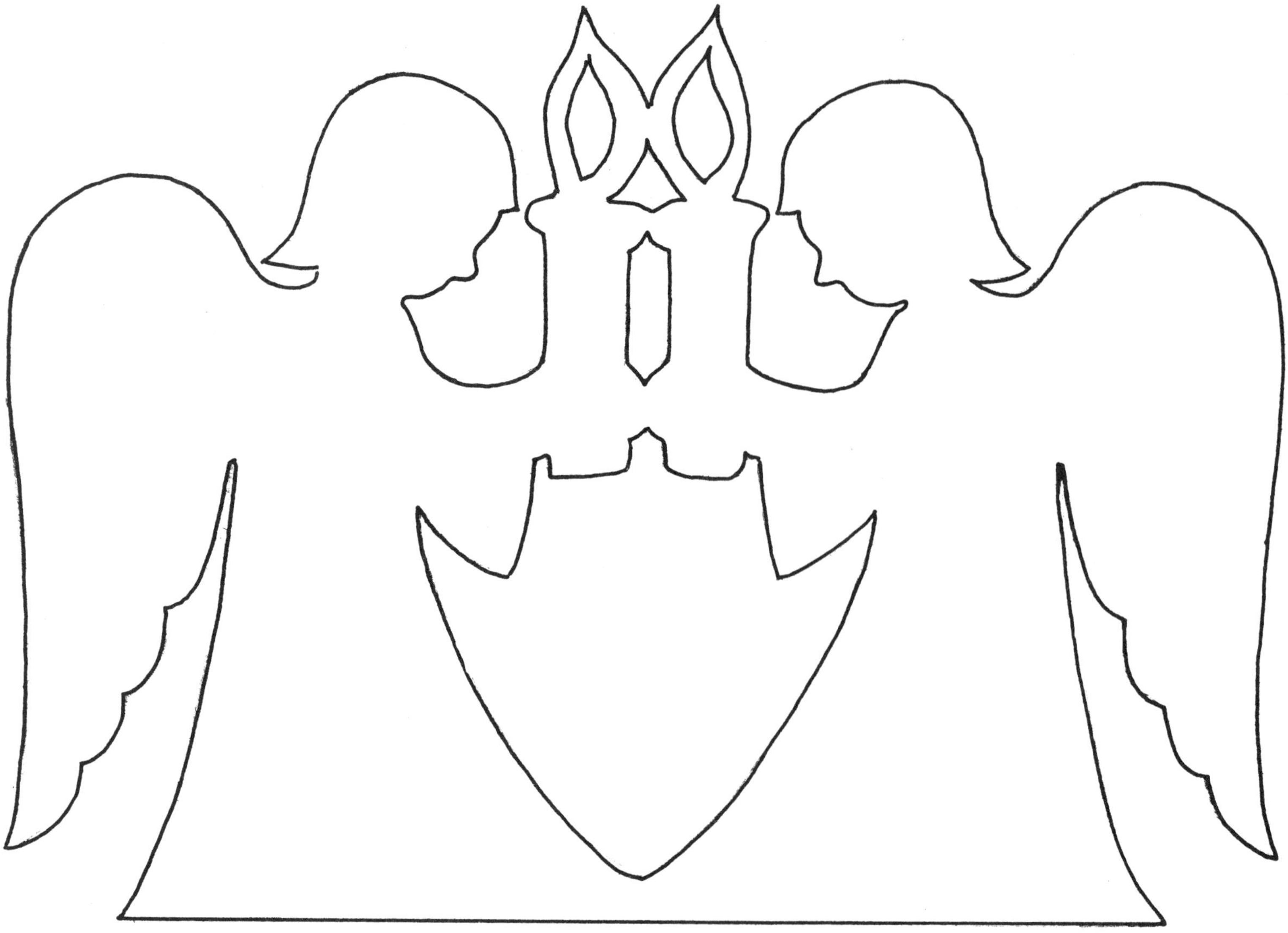

Oben: Schablone für Engel zum Aufstellen.

Rechts: Beispiel für das Aufmalen von Konturen.

# Das Weihnachtslicht

*Gottesdienst in der Advents- und Weihnachtszeit*

## ■ Religionspädagogische Überlegungen

Licht ist eines der eindrücklichsten Symbole in der Bibel. Die Bedeutung von Licht und Dunkel können auch schon sehr kleine Kinder wahrnehmen und verstehen. Sie sind fasziniert von den vielen Lichtern in der Advents- und Weihnachtszeit. Ein ganz besonderes Erlebnis ist es für sie, wenn man mit ihnen eine Kerze anzündet. Das warme, flackernde Licht zieht sie unmittelbar in ihren Bann.

Brennende Kerzen vermitteln ein Gefühl der Geborgenheit. Dunkelheit dagegen ist für kleine Kinder oft bedrohlich. Viele haben Angst im Dunkeln und bestehen darauf, dass nachts wenigstens ein kleines Licht anbleibt.

So ist das Thema Licht für die Kinder ein besonders geeigneter erster Zugang zur Weihnachtsgeschichte. Jesus kommt als Licht in die Dunkelheit der Welt und macht sie hell.

Weil er unsere Herzen erleuchtet, können wir auch selbst dieses Licht weitergeben. Diese Botschaft wollen wir den Kindern mit der Geschichte vom Weihnachtslicht nahe bringen.

## ■ Zur Darbietung und Gestaltung

Die Erzählung beruht auf einer alten Legende, die den Sinn der Weihnachtskerzen erklären möchte. Sie nimmt Bezug auf die Geschichte von der Geburt Jesu, wie sie uns im Lukasevangelium Kapitel 2, 1–20 erzählt wird. Hier sind die armen Hirten die ersten, die die großartige Botschaft von der Geburt des Heilands erfahren. Mitten in der dunklen Nacht erscheint ihnen in hellem Licht ein Engel. So sind sie, die sonst als Räuber und Gesindel verachtet wurden, die am Rande der Gesellschaft standen, die ersten, die das Kind in der Krippe sehen. Sie spüren den Glanz und die Wärme, die von Jesus ausgehen. Mit diesem Licht im Herzen kehren sie zurück zu ihren Feldern.

Die Methode des Schattenspiels unterstreicht das Thema Licht und Dunkel auf besonders eindrucksvolle Weise.

Der Entwurf ist sowohl für kleinere (2-3-jährige) als auch ältere Kinder geeignet. Für überwiegend kleinere Kinder könnte die Geschichte noch etwas gekürzt werden.

Der Gottesdienst, der ursprünglich für die Adventszeit vorgesehen war, kann ebenso gut an Weihnachten gefeiert werden. Dann entfällt natürlich die Adventskranz-Aktion und statt dessen wird auf den Christbaum mit seinen Lichtern eingegangen.

## Die Geschichte vom Weihnachtslicht

*(Bearbeitung: Pfarrerin Bettina Reiser-Krukenberg, Dettenhausen; Entwurf und Idee aus der Kirchengemeinde Wannweil: M. Bischof, S. Czebeka, C. Häbe, S. Lutz, und Pfarrer S. Schanz)*

**Intention:**

Die Kinder sollen erleben, dass Licht Freude und Wärme schenkt. Auch ein kleines Licht kann etwas bewirken.

**Vorbereitungen:**

Adventskranz oder Christbaum; mit Tüchern angedeuteter Kreis auf dem Boden, große Kerze, Baumscheiben mit Tannenzweigen für alle Kinder; Kerzen für alle; Schattenspielbühne, die zu Beginn der Erzählung so hingestellt wird, dass alle sehen können; Schattenspielfiguren (Vorlagen s. S. 38ff).

**Liturgischer Ablauf:**

Glockenläuten
Begrüßung
Lied: »Gottes Liebe ist so wunderbar« (KG 146; LzU 32; SL 151; abgedruckt auch in: Komm in Gottes Schöpfungsgarten«, dem ersten Band der Reihe »Materialien zur Gemeindearbeit«, S. 113)
Gebet: »Lieber Gott, wir freuen uns« (S. 29)
Adventskranz-Aktion (siehe gegenüberliegende Seite)
Lied: »Tragt in die Welt nun ein Licht« (LJ 327; LzU 85; MKL 132; SL 112)
Erzählung: Die Geschichte vom Weihnachtslicht – mit Schattenspiel
Lied: »Tragt in die Welt nun ein Licht« (je eine Strophe zwischen den Szenen und am Ende des Spiels, s. o.)
Gebet: »Guter Gott, wir danken dir« (S. 29)
Vaterunser
Lied: »Guter Gott, danke schön« (nur Refrain: »Fröhlich gehe ich ...«; KG 5; LJ 546; MKL 51; SL 86)
Segen (dazu halten sich alle an den Händen)
Zum Mitnehmen: Kranzteile und Kerze dazu (s. »Adventskranz-Aktion«)

# Bausteine zum Gottesdienst

*Der einladende Raum*

### Vorbereitungen

Der Entwurf stellt keine besonderen Voraussetzungen an den Raum. Es eignen sich sowohl ein Kirchenraum als auch ein anderer Gemeinderaum, wobei die besondere Stimmung mit Licht und Kerzen in einer Kirche vielleicht noch besser zur Geltung kommt. Wesentlich ist aber die adventlich-weihnachtliche Gestaltung mit Adventskranz bzw. Christbaum und Kerzen.
Vorbereitet werden muss die Schattenspielbühne (Holzrahmen mit einem weißen Tuch bespannt) auf einem Tisch, der mit einem Tuch abgedeckt ist und zu Beginn der Erzählung so hingestellt wird, dass alle gut sehen können. Außerdem werden ein Tageslichtprojektor oder eine starke Lampe zur Beleuchtung der Schattenspielbühne benötigt.
Für die Adventskranz-Aktion müssen für alle Kinder Baumscheiben mit Tannenzweigen vorbereitet sein. Auf dem Boden ist mit Tüchern ein Kreis angedeutet.

## Begrüßung

Wir feiern diesen Gottesdienst im Namen Gottes, des Vaters und des Sohnes und des Heiligen Geistes. Amen
Schön, dass Ihr alle da seid, Kinder, Eltern und Großeltern. Schön, dass wir uns wieder sehen. Heute ist der 1. Advent. Bald ist Nikolaustag und bald kommt Weihnachten. Sicher könnt ihr es kaum erwarten? Im Advent zünden wir immer wieder Kerzen an. Welche Kerze brennt heute?
An jedem Sonntag zünden wir eine weitere Kerze an. So wird es immer heller. Und wenn alle brennen, dann ist Weihnachten nicht mehr weit. Die Kerzen wollen uns also etwas sagen. Aber wie hat das angefangen mit den Kerzen? Das wollen wir euch nachher erzählen. Zuerst aber wollen wir miteinander singen ...

## Adventskranz - Aktion

*(vgl. dazu auch »Einführung: Adventskranz« im Gottesdienst »Wir feiern ein Fest« S. 15)*

Die Aufmerksamkeit der Kinder wird auf den Adventskranz gelenkt. Sie werden aufgefordert, ihn zu beschreiben: Welche Form hat er? *(rund, Kreis)*
Dann werden die Kinder angeleitet, einen Kreis mit ihrem Körper zu beschreiben: zuerst mit dem Finger, dann mit dem ganzen Arm, mit beiden Armen, eventuell mit dem Oberkörper oder dem Fuß. Was ist das Besondere an einem Kreis? *(Er hat keine Ecken, keinen Anfang und kein Ende, ist überall gleich. Wenn wir im Kreis sind, können alle sich anschauen, keiner ist vorne oder hinten, keiner steht in der Ecke, jeder ist ein Teil des Ganzen.)*

Dann kommen die Kinder nach vorne und bekommen je eine Baumscheibe mit einem Tannenzweig darauf. *(Sie können auch bereits beim Hereinkommen verteilt werden. Die Kinder sind dann gespannt, was damit geschieht. Allerdings könnten sie dann, so lange in den Händen gehalten, auch hinderlich sein.)*

Auf dem Boden ist mit Tüchern bereits ein Kreis angedeutet. Die Kinder werden aufgefordert, ihre Baumscheiben in einem großen Kreis – rund um die Tücher – als Adventskranz hinzulegen. Zum Schluss wird eine große Kerze hineingestellt und angezündet. Dann wird das Lied: »Tragt in die Welt nun ein Licht« gesungen.
Am Ende des Gottesdienstes dürfen die Kinder sich je eine Baumscheibe aus dem gelegten Adventskranz mit nach Hause nehmen und bekommen dazu noch eine Stumpenkerze. So hat jedes Kind ein kleines Adventsgesteck.

## Zur Darbietung

*Die Erzählung*

Die Geschichte wird als Schattenspiel dargestellt. Benötigt werden dazu eine Schattenspielbühne, ein Tageslichtprojektor oder eine Strahlerlampe, eine Taschenlampe sowie folgende Schattenspielfiguren:
Engel, drei Hirten ohne Geschenke, drei Hirten mit Geschenken (Lamm, Milchkanne, Fell), ein kleiner Hirte ohne Geschenk, ein kleiner Hirte mit Kerze, sowie Baum, Feuerstelle, Schafe, Krippe mit Maria, Josef und Jesuskind (werden mit Klebeband an der Leinwand befestigt). Die Vorlagen für diese Figuren finden Sie in diesem Buch S. 38–43.
Zwei Personen bewegen hinter der Bühne die Figuren, die erzählende Person befindet sich davor bei den Kindern.

## Hinführung

Das Licht der Kerze will uns etwas sagen. Da wo es brennt, soll niemand traurig sein oder Angst haben. Aber wie es angefangen hat mit dem Licht der Weihnachtskerzen, das erzählen wir euch jetzt.

## Die Geschichte vom Weihnachtslicht

### 1. Szene:

*(Figuren: Drei Hirten ohne Geschenke, kleiner Hirte, Schafe, Feuerstelle, Baum, Engel)*

Die Geschichte vom Weihnachtslicht beginnt draußen auf den Feldern bei der Stadt Bethlehem. Die Hirten waren dort bei ihren Schafen, um sie zu hüten. Da kam der Engel zu ihnen und sagte: »Fürchtet euch nicht. Siehe, ich verkündige euch große Freude, die allem Volk widerfahren wird. Euch ist heute der Heiland geboren in der Stadt Davids. Er liegt in einer Krippe und seine Mutter Maria hat ihn in Windeln gewickelt.« Danach kehrte der Engel zurück in den Himmel.
*(Engelfigur nach oben ab.)*
Nachdem die Hirten diese frohe Botschaft gehört hatten, freuten sie sich sehr. Und sie beschlossen, das Kind in der Krippe zu besuchen. »Aber«, sagte einer, »wenn das Kind in der Krippe liegt und nicht einmal ein Bettchen hat, dann müssen seine Eltern sehr arm sein. Sollten wir ihm nicht etwas schenken?«
»Oh ja,« sagten alle, »das werden wir tun!« Und einer nach dem andern machte sich auf die Suche nach einem brauchbaren Geschenk.
*(Hirten einer nach dem anderen nach rechts ab. Licht aus.)*

▶ Lied: »Tragt in die Welt nun ein Licht«
*(Nach dem Liedvers Licht an.)*

### 2. Szene:

*(Anfangs ist die Spielbühne leer.)*

Nach einer Weile hatte schließlich jeder ein Geschenk für das Kind in der Krippe gefunden.
Der eine fand ein kleines Lämmlein und nahm es mit.
*(Hirte mit Lämmlein tritt von rechts auf.)*

Der nächste fand ein warmes Fell und nahm es mit.
*(Hirte mit Fell tritt von rechts auf.)*

Und der dritte brachte Milch in einer Milchkanne.
*(Hirte mit Kanne tritt von rechts auf.)*

Dann machten sie sich auf den Weg. Zuerst der mit dem Lämmlein,
*(Hirte geht los und ab.)*

dann der mit dem Fell,
*(Hirte geht los und ab.)*

und schließlich auch der mit der Milch in der Kanne.
*(Hirte geht los und ab.)*

Der jüngste und kleinste aber unter den Hirten fand nichts, was er dem Kind hätte bringen können, so lange er auch hin und her ging und suchte.

*(Kleiner Hirte tritt auf und geht suchend hin und her.)*

Er besaß nichts, von dem er dachte, es könnte dem Kind Freude bereiten. Plötzlich fiel ihm seine kleine Kerze ein. Wenn er sie am Morgen beim Aufstehen und abends beim Zubettgehen anzündete, dann verbreitete sie einen so hellen, warmen Schein, dass es ihm immer froh ums Herz wurde. Wenn sie brannte, hatte er keine Angst mehr vor der Dunkelheit. Und dann dachte er: »Sicher hat auch das Jesuskind seine Freude an der Kerze.« Zwar fiel es ihm schwer, sich von seiner Kerze zu trennen, aber für das Jesuskind wollte er sie gerne hergeben. Also ging er hin und holte sie, um sie dem Kind zu schenken.

*(Kleiner Hirte tritt wieder nach rechts ab.)*

Tapfer nahm er seine Kerze in die Hand

*(Kleiner Hirte mit Kerze tritt von rechts auf.)*

und machte sich auf den Weg zum Stall. Entschlossen lief er den anderen Hirten nach.

*(Licht aus.)*

▶ Lied: »Tragt in die Welt nun ein Licht«

*(Umbau: Krippe anbringen. Nach dem Liedvers Licht an.)*

### 3. SZENE:

*(Stall, links oben ein Engel, vier Hirten, Reihenfolge: mit Schaf, Fell, Kanne, kleiner Hirte)*

So kamen die Hirten zum Stall. Zuerst kam der mit dem Lämmlein.

*(Hirte tritt auf.)*

Dann kam der mit dem Fell,

*(Hirte tritt auf.)*

und schließlich kam der mit der Milchkanne.

*(Hirte tritt auf.)*

Und sie fanden alles so, wie der Engel es gesagt hatte: ein Kind, arm und nur mit einer Windel bekleidet in einer Krippe. Dabei Maria und Josef. Aber plötzlich war da auch eine unerwartete Helligkeit, die sie blendete.

*(Taschenlampe an, auf Engel gerichtet.)*

Erschrocken starrten sie in die Lichtflut und trauten sich kaum in die Nähe des göttlichen Kindes. Der Glanz kam von den Engeln, die über dem Stall schwebten und jubelten, und er kam von der Freude, die allem Volk widerfahren war. Die Hirten standen da und staunten.
Maria und Josef aber begrüßten die Hirten voller Dankbarkeit. Da trat einer nach dem andern zur Krippe, stand ehrfürchtig einen Augenblick still und brachte dann seine Geschenke dar.
Zuerst kam der mit dem Schaf.

*(Hirte mit Schaf geht zur Krippe und dann nach unten ab.)*

Dann kam der mit dem warmen Fell.

*(Hirte mit Fell geht zur Krippe und dann nach unten ab.)*

Und schließlich der mit der Kanne voller Milch.

*(Hirte mit Kanne geht zur Krippe und dann nach unten ab.)*

Zuletzt kam die Reihe auch an den jüngsten und kleinsten. Aber der junge Hirte war traurig und schämte sich seiner armseligen Kerze. Er hielt sie fest in der einen Hand und versteckte sie mit der anderen. Was hatte er sich nur gedacht, dem König aller Könige eine armselige Kerze schenken zu wollen! Die Enttäuschung trieb ihm die Tränen in die Augen, als er zur Krippe trat.

*(Kleiner Hirte geht zur Krippe.)*

Doch als er sich über das Kind beugte, ergriff ihn ein großes Staunen. Er stand einen Augenblick ganz still und ergriffen da. Denn das Kind in der Krippe lächelte ihn an und wollte mit seinen winzigen Fingerchen nach dem dünnen Licht des Hirten greifen. Es verlangte so sehr danach, dass Gott ein Wunder tat.
Er löschte den Glanz der Engel aus,

*(Taschenlampe auf Kind richten.)*

nur für einen Augenblick zwar, aber er löschte ihn aus.
Da brannte nur noch die kleine Kerze des Hirten und flackerte im Wind, der durch die Mauern blies.
Sie gab ein trauliches Licht.
Da kamen alle, die im Stall versammelt waren, noch einmal zusammen. Die drei Hirten,

*(Drei Hirten ohne Geschenke treten auf, links vom Stall.)*

Maria und Josef und der kleine Hirte. Sie rückten ganz nahe zueinander hin. Es wurde ihnen richtig warm ums Herz, und sie hielten sich bei den Händen.

*(Hirten möglichst nahe zusammen.)*

Eine Weile blieben so alle ganz andächtig stehen. Einer sagte: »Das Licht der Kerze ist das schönste Geschenk, das man dem Jesuskind machen konnte. Es macht die Welt warm und hell, und es vertreibt die Finsternis und die bösen Gedanken.« Ein anderer sagte: »Ohne das Licht gäbe es kein Leben.« Und der dritte sagte: »Wo es hell ist, braucht man keine Angst mehr zu haben.« Da freute sich der kleine Hirte, dass sein Geschenk das Schönste von allen war. Gerne wären sie noch lange um die Krippe und das Licht herum gestanden. Aber Gott musste die Engel wieder leuchten lassen, damit auch die drei Könige noch den Weg zur Krippe finden konnten.
Darum kehrten die Hirten schließlich um und erzählten allen, die sie trafen, die Geschichte vom Weihnachtslicht und von dem Kind in der Krippe, das die Welt hell macht.

*(Licht aus.)*

▶ Lied: »Tragt in die Welt nun ein Licht«

*(Nach dem Liedvers Licht an.)*

*(Erzählung nach einem Bilderbuch von Max Bolliger, »Das Licht des kleinen Hirten«, mit Bildern von Ivan Gantschev, Verlag Ernst Kaufmann, Lahr, 1. Aufl. 1990. Bearbeitet von Siegfried Schanz)*

## Lieber Gott, wir freuen uns



*In der Adventszeit:*
Lieber Gott, wir freuen uns,
dass wir jetzt gemeinsam Gottesdienst feiern können.
Danke für die Kerzen in der Adventszeit.
Bitte mach du es bei uns hell,
auch wenn es um uns dunkel ist.

*An Weihnachten:*
Lieber Gott, wir freuen uns,
dass wir heute Weihnachten feiern können.
Wir freuen uns über den Christbaum mit den vielen Kerzen.
Komm du als unser Licht zu uns und mach es bei uns hell.
*(Bettina Reiser-Krukenberg)*

## Guter Gott, wir danken dir

Guter Gott,
wir danken dir für deine Liebe,
die du uns täglich schenkst.
Wir freuen uns über das Licht,
das es hell und warm bei uns macht.
Wir danken dir, dass du uns Jesus geschenkt hast,
der unser Licht ist.
Hilf uns, dass auch wir ein Licht für andere werden können.
*(Bettina Reiser-Krukenberg)*

## Gib das Licht weiter

Text und Musik: Siegfried Macht; aus: »Kleine Leute – große Töne. Mit Kindern singen, spielen, musizieren«; Verlag Junge Gemeinde, Leinfelden-Echterdingen 1997

Mit dem Singen des kleinen Liedes lassen sich die verschiedensten Kerzentänze und Bewegungsspiele verbinden. Ein Kind beginnt und zündet seine Kerze am Adventskranz an. Dann geht es auf ein anderes Kind zu und zündet dessen Kerze an. Jetzt gehen beide weiter und entsprechend verdoppelt sich von Strophe zu Strophe die Anzahl der brennenden Kerzen.
An den einzelnen Sonntagen kann man eins, zwei, drei oder vier Kinder am Adventskranz beginnen lassen, je nachdem in welcher Vorweihnachtswoche wir uns befinden. Das weiterzugebende Licht sollte aus tropfsicheren Kerzen bestehen, die durch ein entsprechend großes Loch in einem (eventuell hübsch

beklebten) Bierdeckel geführt sind. So kann den Händen ganz sicher nichts passieren. Noch sicherer, aber schlechter von Licht zu Licht anzuzünden, sind Teelichter, die in kleinen Schalen oder auf hübschen Untertassen gehalten werden.

## Weitere Lieder

»Gottes Liebe ist so wunderbar«
(KG 146; LzU 32; SL 151; abgedruckt auch in: Komm in Gottes Schöpfungsgarten«, dem ersten Band der Reihe »Materialien zur Gemeindearbeit«, S. 113)

Dazu können folgende Bewegungen gemacht werden:
»so hoch« *Arme hochstrecken*
»so weit« *Arme zur Seite*
»so tief« *in die Hocke gehen*
»so wunderbar groß« *mit den Armen einen Kreis beschreiben.*

»Tragt in die Welt nun ein Licht« (LJ 327; LzU 85; MKL 132; SL 112)
»Guter Gott, danke schön« (hier nur Refrain: »Fröhlich gehe ich ...«; KG 5; LJ 546; MKL 51; SL 86)
»Mache dich auf und werde Licht« (EH 91; KG 24; MKL 128; LJ 451; SL 118)
»Ein Licht geht uns auf« (EG 555; KG 25; LJ 344; LzU 66; MKL 123)
»Das Licht einer Kerze« (LJ 316; SL 119)
»Mir ist ein Licht aufgegangen« (LJ 410; LzU 74)
»Gottes Wort ist wie Licht in der Nacht« (EH 22; KG 149; SL 40)
»Wir sagen euch an den lieben Advent« (EG 17; GL 115; LJ 26; MKL 134; LzU 97)

Und natürlich auch bekannte Weihnachtslieder wie: »Ihr Kinderlein kommet« u.a.

Spiele, Basteln
Kreatives

## Schattenspielfiguren

**Material:**

Dunkler Plakatkarton, dicker Draht oder Holzstäbe, Klebeband

**Werkzeug:**

Schere, scharfes Messer, Bleistift

**Herstellung:**

Die Figuren (s. Vorlagen S. 38–43) werden auf Tonkarton aufgezeichnet und ausgeschnitten (Höhe der Figuren ca. 20 cm). Dann wird mit Klebeband ein fester Draht oder ein Holzstab an jeder Figur befestigt.

# Schattenspielbühne

**Material für das Gerüst:**

Sechs Holzlatten, 5 cm breit, 1,5–2,5 cm stark, Maße: 2 x 1,5 m, 2 x 1 m, 2 x 0,5 m

**Material für die Bespannung:**

Weißer Baumwollstoff oder Leinen, ggf. Papierbahn

**Vorbereitung:**

Zum Aufstellen der Bühne benötigt man einen stabilen Tisch. Der Holzrahmen wird mit zwei Schraubzwingen befestigt. Als Beleuchtung nimmt man einen Tageslichtprojektor oder eine Strahlerlampe. Außerdem werden für den Bau der Bühne benötigt: Holzleim, Nägel und Tackerklammern.

**Werkzeug:**

Hammer, Säge, Schere, Tacker

**Herstellung:**

Für das Gestell: Je 2 Holzlatten à 1,5 bzw. 1 m werden für den Rahmen gebraucht. Auf Nut und Feder arbeiten oder die Latten zusammennageln (Breite 1,5 m, Höhe 1 m). Die zwei anderen Lattenstücke (á ca. 50 cm lang) an der Unterkante links und rechts im Winkel von 90° zum Rahmen befestigen, damit der Rahmen stehen kann.
Ist der Rahmen gebaut, wird er mit Stoff bespannt. Darauf achten, dass der Stoff beim Antackern gespannt ist. Am Rand doppelt nehmen.

**Aufbau:**

Dann wird das Gestell mit den Schraubzwingen auf dem Tisch befestigt. Der Tisch wird mit einem dunklen Tuch abgedeckt, damit die Spielerinnen und Spieler nicht zu sehen sind. Die Schattenspielbühne wird von hinten mit einem Tageslichtprojektor oder einer Strahlerlampe angestrahlt.

*Vor der Aufführung unbedingt ein Probespiel machen.*

## *Einfachere Alternative:*

Mit geringerem Aufwand kann das Schattenspiel auch mit Hilfe eines Tageslichtprojektors dargestellt werden. Es ist aber nicht ganz so eindrucksvoll wie das echte Schattenspiel.

**Material:**

Dunkles Tonpapier, Folien für Tageslichtprojektor, Tageslichtprojektor, Leinwand

**Werkzeug:**

Schere, Bleistift

**Ausführung:**

Die Schattenspielfiguren werden in kleinem Format aus dunklem Tonpapier ausgeschnitten. Sie werden auf eine leere Folie gelegt und mit dem Projektor an eine Leinwand oder weiße Wand projiziert. Baum, Feuerstelle, Schafe, Krippe können auf den Folien festgeklebt werden, die Figuren werden jeweils dazu gelegt und können je nach Bedarf auf der Folie verschoben werden.

## Adventskranz-Aktion

**Material:**

Ein Stück Baumstamm (Durchmesser ca. 10–12 cm), Tannenzweige, Stumpenkerzen

**Werkzeug:**

Säge, Tacker

**Vorbereitung:**

Der Baumstamm wird in ca. 1 cm dicke Scheiben zersägt. Darauf werden mit einem Tacker Tannenzweige befestigt. Am Schluss bekommt jedes Kind noch eine Stumpenkerze dazu.

Bei diesem Thema bietet es sich natürlich an, dass jedes Kind ein Licht bekommt. Dafür gibt es eine Vielzahl ganz einfacher, aber auch aufwendigerer Möglichkeiten:

## Teelicht im Glas

**Material:**

Kleine Gläser (z.B. von Babynahrung, Marmelade o.ä.), Klebesternchen, Teelichter

**Ausführung:**

Das Glas wird mit den Klebesternen verziert und ein Teelicht hineingestellt.

## Buntes Glaslicht

**Material:**

Kleine Gläser, Transparentpapier in verschiedenen Farben, Tapetenkleister, Teelichter

**Ausführung:**

Das Glas wird mit Tapetenkleister eingestrichen. Vom Transparentpapier werden kleine Stückchen abgerissen und aufgeklebt, bis das ganze Glas bedeckt ist. Dabei sollten die Papierfetzen teilweise auch übereinander geklebt werden. Zum Schluss wird ein Teelicht hinein gesetzt. Bei dieser einfachen Technik können auch schon kleine Kinder mithelfen.

## Teelicht im Stern

**Material:**

Tonkarton oder farbige Wellpappe, evtl. kleine Klebesternchen, Teelichter

**Werkzeug:**

Spitze Schere, Stift

**Ausführung:**

Der Stern (s. Vorlage S. 33) wird auf Tonkarton oder Wellpappe aufgezeichnet und ausgeschnitten. Dann von der Mitte her strahlenförmig einschneiden und von oben her ein Teelicht hinein drücken. Der Stern kann auch noch mit kleinen Klebesternchen verziert werden.

## Teelicht-Haus

**Material:**

Tonpapier ( farbig oder weiß), Transparentpapier, Klebstoff, Teelichter

**Werkzeug:**

Spitze Schere, Bleistift

**Ausführung:**

Die Vorlage (S. 34) wird auf weißes oder farbiges Tonpapier kopiert. Das Haus wird ausgeschnitten und Fenster und Tür mit farbigem Transparentpapier hinterklebt. Ist es aus weißem Papier, kann es noch angemalt werden. Anschließend wird es an den gestrichelten Linien geknickt (vorher mit Messer anritzen) und zusammengeklebt. Zum Schluss kommt ein Teelicht hinein.
Das Häuschen kann fertig gebastelt mit Teelicht mitgegeben werden oder auch als Bastelbogen für zu Hause.

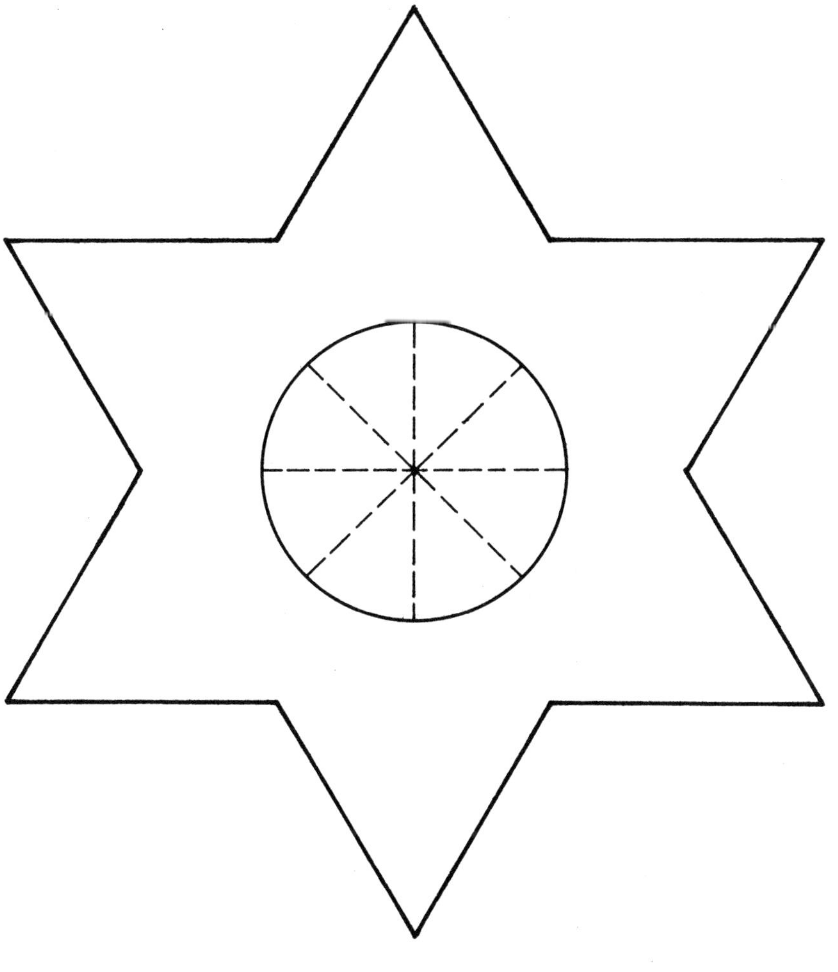

Oben:
Beispiele Teelicht im Stern

◄ Schablone dazu

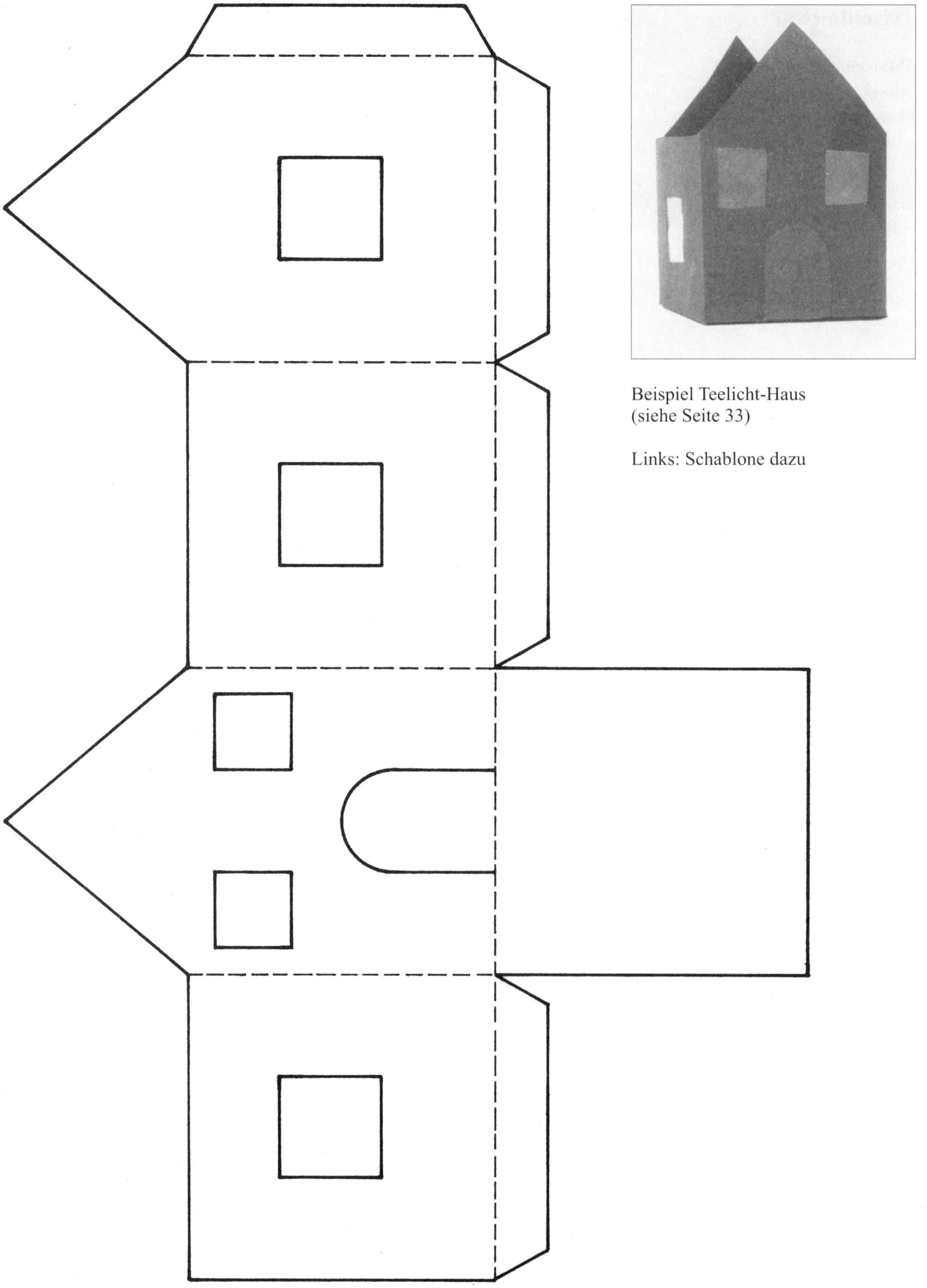

Beispiel Teelicht-Haus
(siehe Seite 33)

Links: Schablone dazu

## Tischlaterne

**Material:**

Boden oder Deckel einer kleinen Käseschachtel,
Tonpapier (ca. 12 cm hoch und etwas breiter als der Umfang der Käseschachtel),
farbiges Transparentpapier,
evtl. Pflanzenöl, Klebstoff, Teelichter

**Werkzeug:**

Ein oder mehrere größere Motivlocher (z.B. Sonne, Sterne, Mond),
Schere, Lineal

**Ausführung:**

In das Tonpapier werden mit Hilfe des Motivlochers oben und unten je eine Reihe Motive gestanzt. Die Reihen werden mit je einem Streifen Transparentpapier hinterklebt. Das Ganze wird dann um die Käseschachtel herumgeklebt und ein Teelicht hineingestellt.
Es geht auch ohne Käseschachtel-Boden, kann dann natürlich nicht mit Licht getragen, sondern nur auf den Tisch gestellt werden.
Hübsch sieht es auch aus, wenn das Tonpapier zuvor mit Pflanzenöl eingestrichen wird. Das Papier wird dann durchscheinend. Nach dem Trocknen Motive einstanzen und mit Transparentpapier oder mit ebenfalls eingeöltem, andersfarbigem Tonpapier hinterkleben. Motive können aber auch ganz frei gestaltet werden.

## Weihnachtsstern mit Teelicht

**Material:**

Gewachstes Laternenpapier oder geöltes Tonpapier (s.o. »Tischlaterne«), auch andere Papiere

**Herstellung:**

(Zeichnungen zur Faltanleitung siehe S. 36) Für jedes Licht einen Kreis von 15–25 cm Durchmesser ausschneiden. Beim Schneiden und nachher beim Falten auf Genauigkeit achten.

1. Kreis achtmal falten, so dass 16 Knicke bzw. Strahlen entstehen.

2. Über drei Strahlen hinweg den Rand einknicken und falten, so dass ein Quadrat entsteht.

3. Papier wieder zum Kreis öffnen und über die Ecken des vorigen Quadrats wieder ein Quadrat falten, dann wieder zum Kreis öffnen.

4. Jetzt die Strahlen abwechselnd zieharmonikaförmig nach innen und außen knicken. Wobei darauf zu achten ist, dass (vor allem bei Papieren, bei denen eine bestimmte Seite außen sein muss) die Spitzen des Sternmusters am Kreisrand nach innen geknickt werden.

5. Nun werden am Rand die Dreiecke zwischen den Sternspitzen nach innen geknickt, dann der ganze Kreis so gefaltet, dass eine Drachenform entsteht.

6. Nun wird jede einzelne Spitze nach unten (außen) geklappt und gefaltet. »Umblättern« und die nächste Spitze nach unten knicken, bis alle acht Spitzen weg sind.

7. Zum Schluss braucht man nur noch den Stern zu öffnen und mit dem Zeigefinger auf einer glatten, harten Unterlage den Boden bis zur gewünschten Größe platt zu drücken und ein Teelicht hineinzulegen.

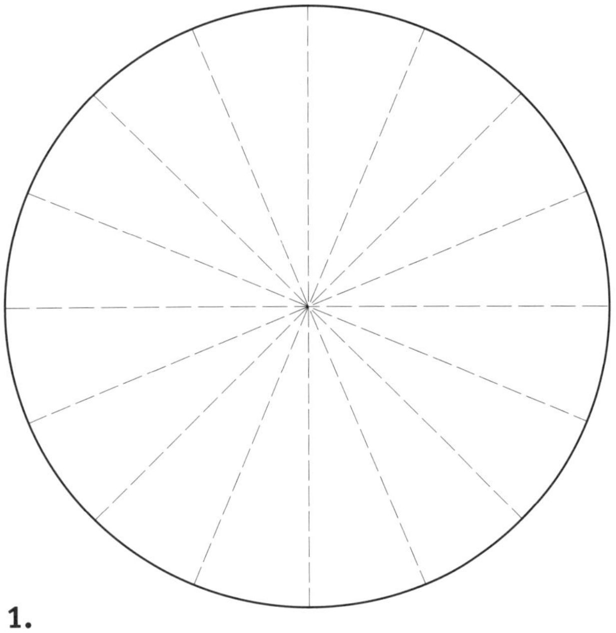

1.

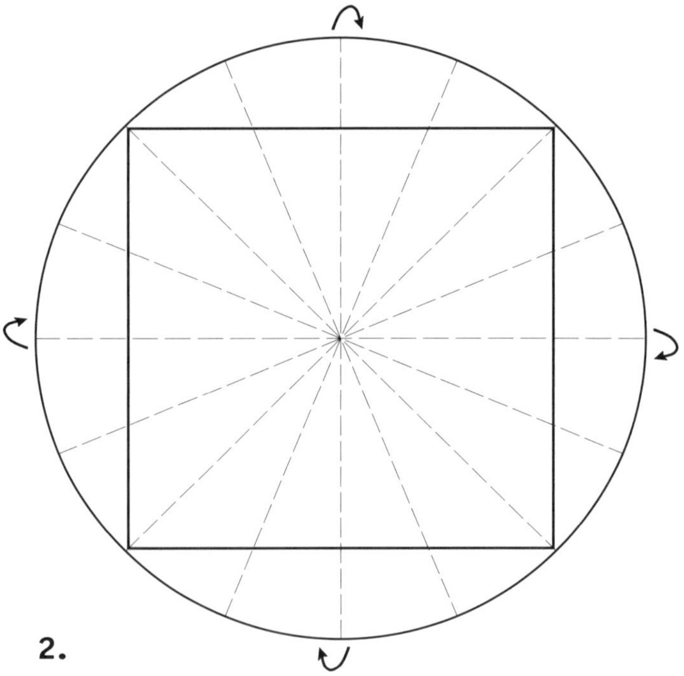

2.

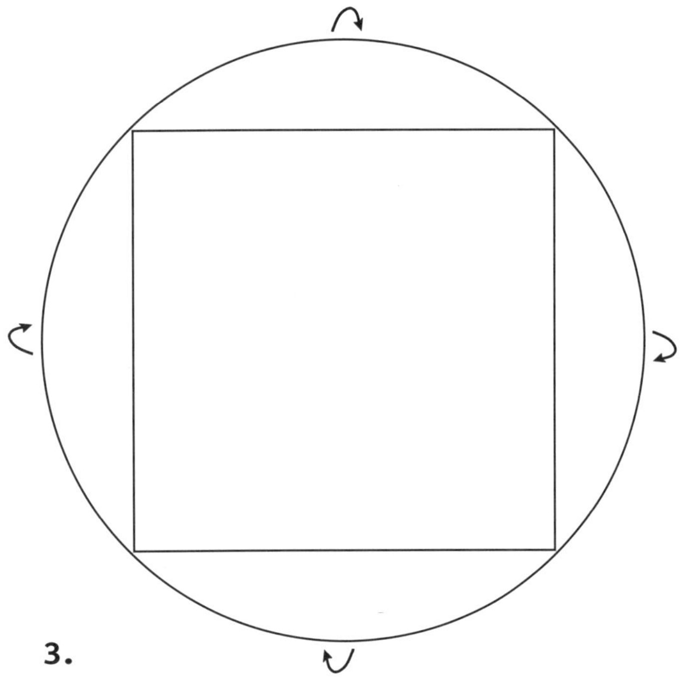

3.

Weihnachtsstern mit Teelicht

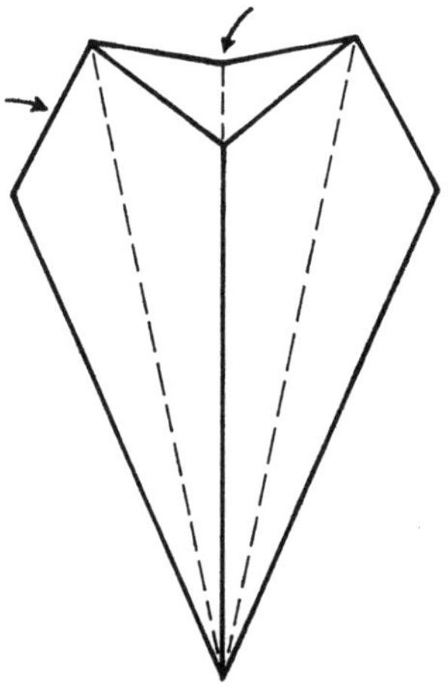

5.

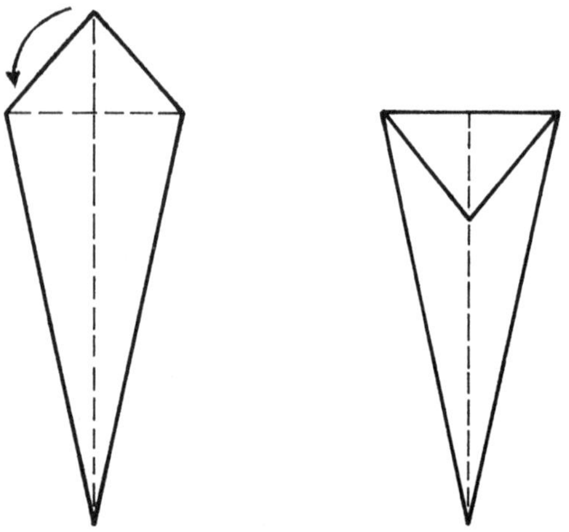

6.

## Wort an die Erwachsenen

Ein Gottesdienst für Familien mit kleinen Kindern soll zwar ein kindgerechter Gottesdienst sein, keineswegs aber nur die Kinder ansprechen. Das kommt in der gesamten Gestaltung zum Ausdruck. Dennoch ist es gut, darüber hinaus noch einige weiterführende Gedanken speziell für die Erwachsenen mit auf den Weg zu geben. Damit der Gottesdienst selbst nicht überfrachtet wird mit einer »Minipredigt« o. ä., bietet das Liedblatt zum Mitnehmen eine gute Möglichkeit, ein solches Wort an die Erwachsenen abzudrucken, das diese dann zu Hause in aller Ruhe lesen können. Hier ein Beispiel für ein solches »Wort an die Erwachsenen«, wie es zu diesem Gottesdienst verfasst worden ist.

Liebe Eltern,

Licht fasziniert unsere Kinder immer wieder in ganz besonderer Weise. Gerade jetzt in der Advents- und Weihnachtszeit leuchten überall die Christbäume und Weihnachtssterne. In der Dunkelheit fürchten sich viele Kinder, aber ein brennendes Licht hilft ihnen aus ihrer Angst heraus. Ganz besonders aber gefällt es ihnen, wenn wir jetzt an den langen dunklen Winterabenden zusammensitzen und mit ihnen eine Kerze anzünden. Das warme, flackernde Licht zieht sie unmittelbar in ihren Bann.

Licht ist absolut wesentlich für uns. Ohne Licht gäbe es kein Leben auf dieser Erde. Aber auch im übertragenen Sinn reden wir von Licht und Dunkelheit. Wir sprechen von dunklen Zeiten, wenn wir an die schweren Stunden im Leben denken. Von Finsternis und Nacht, die uns umgibt, reden wir, wenn wir keinen Ausweg mehr sehen. Einen Zuspruch, die Zuwendung eines Menschen erfahren wir dann als Lichtzeichen, das uns wieder einen Weg sehen lässt, der aus der Dunkelheit herausführt.
Licht schenkt Wärme, Freude und Geborgenheit. Daran denken wir, wenn wir in der Advents- und Weihnachtszeit Kerzen anzünden.

Weihnachten ist darum unter anderem für uns auch das Fest des Lichtes. An der Geschichte vom Weihnachtslicht kann uns noch einmal ganz wunderbar aufgehen, wieviel Kraft so eine kleine Kerze hat, wieviel Kraft von Weihnachten ausgeht. Jesus von Nazaret, das »Licht der Welt«, geht über denen auf, »die im Finstern wohnen«. Der kleine Hirtenjunge hat begriffen, worum es an Weihnachten geht: ums Teilen und Zueinanderfinden. Kalt ist es in der Welt da, wo jeder nur an sich selber denkt und wo das Licht der Liebe Gottes nicht hinkommen darf. Aber hell und warm wird es, wenn wir einander das »Weihnachtslicht« weiterschenken. Darum konnte keiner dem Kind in der Krippe ein größeres Geschenk machen, als gerade der kleine Hirtenjunge mit seiner Kerze. Sein Licht macht die Welt warm und hell, und es vertreibt die Finsternis und die bösen Gedanken.
Dass auch Sie mit Ihrer Familie etwas von diesem Weihnachtslicht aus unserem Gottesdienst mitnehmen, wünschen wir Ihnen von Herzen.

**Vorlagen zum Schattenspiel**
**»Die Geschichte vom Weihnachtslicht«**
(siehe S. 25ff.)

Die Vorlage ist auf eine Breite von ca. 60 – 61 cm zu vergrößern.

Palme auf eine Größe
von ca. 42–45 cm vergrößern.

Schafe und Feuer sowie der Engel
auf der rechten Seite: Größe 1:1

Hirte ohne / mit
Lämmlein

Hirte ohne / mit
Fell

Hirte mit Stab
bzw. mit Milchkrug

Kleiner Hirte
ohne / mit Kerze

**► Sämtliche Figuren auf diesen beiden Seiten sind auf die doppelte Größe (= 200 %) zu vergrößern.**

# Wir feiern Weihnachten

*Gottesdienste für Heiligabend und Weihnachten*

## Religionspädagogische Überlegungen

Weihnachten ist ein Fest der Sinne. Die Kinder sollen das Geheimnis der Weihnachtsbotschaft hören, sehen und singen. Das Lied ist dabei als »Botschafter« genauso wichtig wie die erzählte, gemalte oder gespielte Geschichte.
Die Geschichte von der Geburt Jesu gehört zum reichsten Schatz der biblischen Erzählungen. Jahr für Jahr wird sie weiter tradiert. Wenn wir für den Verkündigungsimpuls dieser Gottesdienste Tiergeschichten wählen, dann suchen wir die Erlebnisebene, die Kindern sehr vertraut ist. Es wird »zugeschaut«, wie ein Esel oder ein Schaf das Ereignis erlebt. Die Erzählung wird in einem anderen Jahr vielleicht mit neuer Variante erweitert, z.B. aus dem Blick der Sterndeuter oder aus der Sicht der Wirte in Bethlehem.
Ein Ziel vor Augen und eine feste Hoffnung, das ist es, was die Erzählung (s. S. 46–49) vom Esel berichtet, der an der Krippe dabei war. Und andere (Tiere) können ihn dabei nicht vom Weg abbringen. Der Glanz, der von der Krippe ausgeht, das Licht, das Hoffnung schenkt, ist die Erfahrung dieser Spielgeschichte. Auch das schwarze Schaf, das als »Weihnachtsfigur« in einer Erzählung aufgegriffen wird, soll mit seiner Geschichte von der Hoffnung und dem Wunder berichten, das große und kleine Menschen froh macht.

## Zur Darbietung und Gestaltung

Der Bericht über Jesu Geburt steht bei Lukas. In Kapitel 2,1–7 wird die Geburtsgeschichte erzählt. Schlicht wird das Geschehen skizziert. Eine Volkszählung ist angesagt. Jede Familie muss an ihren angestammten Ort gehen und sich von den Behörden erfassen lassen. Josef aus Nazaret muss mit seiner schwangeren Maria in seine Vaterstadt. Es gibt keinen Platz in Bethlehem, weil alle Menschen der Volkszählung Folge leisten. So muss ein Stall als Unterkunft dienen. Die Futterkrippe wird das Bett des Neugeborenen. Die Eltern Josef und Maria verbringen hier mit ihrem Kind die Nächte.
Wer kann dies aus nächster Nähe beobachten? Von Tieren ist in der Geburtserzählung nichts berichtet. Die fromme Legende hat diesen Gedanken schon immer aufgegriffen. In der Krippentradition haben Ochs und Esel einen festen Platz.
Wenn wir einen Esel erzählen lassen, dann ist dies auf eine alte Überlieferung zurückzuführen. Der zahme Esel ist im Orient ein sehr geschätztes Haustier. In Jesaja 1,3 heißt es: »Der Ochse kennt seinen Meister und der Esel die Krippe seines Herrn.« Und in Sacharja 9,9 wird betont, dass der Friedenskönig auf einem Esel reitet. Dies mag in die Darstellungen der Geburtsgeschichte eingeflossen sein. Spielt doch im späteren Leben Jesu der Esel immer wieder eine Rolle: als Reittier bei der Flucht nach Ägypten (Mt 2,14), beim Einzug in Jerusalem (Mt 21,7) oder auch als Lasttier bei der Erzählung vom Barmherzigen Samariter (Lk 10,34).
Die Botschaft der Engel geht an die Hirten mit ihren Schafherden. Außenstehende hören und sehen Engel und vernehmen die frohe Botschaft. Mensch und Kreatur ist in dem Weihnachtsgeschehen einbezogen.

# Ein Esel geht nach Bethlehem – Ein Gottesdienst mit Anspiel

**Entwurf A**

*(Entwurf, Idee und Gestaltung: Kirchengemeinde Dettingen/Erms,.I. Beck, H. Riexinger, H. Seiffer, D. Kränzler, S. + J. Weag. Anspiel nach dem Bilderbuch von G.-M. Scheidel, »Ein Esel geht nach Bethlehem«, Nord-Süd-Verlag)*

**Intention:**

Auch der/die/das Kleine hat vor Gott Bedeutung.

**Vorbereitung:**

Im Altarraum oder im Gemeinderaum eine Kulisse anbringen (entweder mit Tüchern gestalten oder bemalte Papierbahnen aufstellen; siehe Anleitung S. 55).
Für die Spielgeschichte werden sechs Mitspieler/innen und ein/e Erzähler/in benötigt. Der Text sollte – von den Spielern – frei gesprochen werden. Deshalb sind größere Kinder/Konfirmanden/Eltern einzubeziehen.

**Spielende Personen:**

Esel, Kamel, Löwe, Bär,
Maria und Josef
(Spielaufbau und -anleitung: Seite 46)

**Liturgischer Ablauf:**

Vorspiel
Begrüßung
Lied: »Ihr Kinderlein, kommet« (EG 43; KG 34; LJ 44)
Gebet: »Wieder wird es Weihnachten« (Seite 50)
Spiel: »Ein Esel geht nach Bethlehem« (Seite 46)
Lied: »Lasst das Lied der Liebe weiterklingen« (Seite 53)
Gebet: »Vielleicht muss man nicht nach Bethlehem gehen« (Seite 50)
Lied: »Zu Bethlehem geboren« (EG 32; GL 140; LJ 37)
Vaterunser und Segen
Lied: »O du fröhliche« (EG 44; KG 33; LJ 45) oder: »Stille Nacht« (EG 46; GL 145; KG 32; LJ 46)

# Das schwarze Schaf, das mit zur Krippe kam – Ein Erzählgottesdienst mit Zwischenrufen

**Entwurf B**

*(Entwurf und Idee: Alma Grüßhaber)*

**Intention:**

Ein Außenseiter ist auch an die Krippe eingeladen.

**Vorbereitung:**

Ein Flötenspieler wird gebraucht.
Der Raum sollte abgedunkelt werden können.
Kerzen oder Wunderkerzen und Streichhölzer bereitlegen.
Diese Erzählung kann entweder mit dem Kulissenbild (s. Entwurf A) veranschaulicht werden, oder es werden Schafe in Lebensgröße gebaut.
Eine Kulisse anbringen (Herstellung s. Seite 55). Eventuell das Kulissenbild in folgenden Etappen malen, die die Entwicklung der Erzählung aufnehmen:

Bild 1: Die Herde
Bild 2: Das schwarze Schaf am Rande
Bild 3: Das Licht in der Nacht
Bild 4: Hirte und Schaf
Bild 5: Stall in Bethlehem

Es können aber auch Tücher aufgehängt werden. Davor werden die Schafe aufgestellt.
Vor der Erzählung die Zwischenrufe einüben: Alle blöken wie Schafe; alle bellen wie Hunde; alle pfeifen wie die Hirten; eine/r blökt wie das schwarze Schaf.

**Liturgischer Ablauf:**

Vorspiel
Begrüßung
Lied: »Komm mit mir« (Seite 52)
Eingangsgebet: »Der Geburtstag Jesu« (Seite 51)
Erzählung: »Das schwarze Schaf, das mit zur Krippe kam« (Seite 49)
Lied: »Ihr Kinderlein, kommet« (EG 43; KG 34; LJ 44)
Gebet: »Vielleicht muss man nicht nach Bethlehem gehen« (Seite 50)
Lied: »Stern über Bethlehem« (EH 193; KG 42; LJ 326; MKL 131; SL 125) oder: »Zu Bethlehem geboren« (EG 32; GL 140; LJ 37)
Vaterunser und Segen
Lied: »Komm mit mir« (Seite 52)

## Bausteine zum Gottesdienst

*Erzählungen*

### Ein Esel geht nach Bethlehem

*(Spieltext in Anlehnung an das Bilderbuch von Gerda-Maria Scheidel, »Ein Esel geht nach Bethlehem«, illustriert von Bernadette, © 1988, Nord-Süd-Verlag AG, Gossau-Zürch/Basel.)*

#### *Der Raum:*

Kirchen- oder Gemeinderaum mit Bühne oder erhöhter Spielfläche.
Wer kein Kulissenbild mit verschiedenen Landschaften malen will, kann die Wegstrekken mit Tüchern oder Decken markieren.
Auf einer Seite der Spielfläche wird die Futterkrippe aufgestellt. Dort sitzen Maria und Josef, und später während des Spiels stellen sich auch die Engel dort auf.
Für die Begegnung mit Kamel, Löwe und Bär auf der Spielfläche markieren, wohin diese Tiere zu gehen haben. Einen Kassettenrecorder mit der entsprechenden Musik aufstellen. Wunderkerzen und Zündhölzer bereitlegen.

#### *Die Inszenierung:*

Die Tiere können als Stabfiguren hergestellt werden. Falls größere Kinder mitmachen, werden diese als Tiere verkleidet (s. Beschreibung unten). Sie müssen die Sprechtexte laut sprechen können.
Zum Verkleiden sind Decken oder Tücher geeignet. Die Tiergesichter können aus Karton oder Pappmaschee hergestellt werden.

**Esel:** Zwei Kinder in grauen Jogginganzügen. Ein Kind läuft gebeugt und hält sich am anderen fest. Ein Tuch wird über das gebückte Kind gelegt und am stehenden festgebunden.

**Kamel:** Drei größere Kinder, die sich aneinander festhalten. Das erste Kind bekommt das Kamelgesicht (Röhre mit Kopf und Augen zum Durchschauen) aufgesetzt. Über die zwei anderen Kinder wird eine braune Decke geworfen, so dass die Köpfe als Höcker hervorschauen. Ein Schwanz am Rücken des 3. Spielers macht das Kamel perfekt.

**Bär:** Ein Kostüm aus einer Kunstfelldecke improvisieren: die Ohren abbinden, ggf. Löcher für die Augen einschneiden, mit einer Schnur am Hals befestigen. Arme und Beine abnähen.

**Löwe:** Zwei größere Kinder wie beim Esel, jedoch sandfarbene Tücher als Tierfell nehmen. Eventuell die Löwenmähne separat herstellen und dem stehenden Kind als Gesichtsmaske aufsetzen.

**Menschen:** Kann von einer Gruppe von Kindern gesprochen werden. Man kann den Satz aber auch auf ein großes Plakat schreiben und von allen Kindern sprechen lassen.

Erzähler: Zu jener Zeit, als über dem Stall von Bethlehem ein heller Stern stand, ging ein Raunen durchs Land. Die Menschen hatten sich viel zu erzählen.

Menschen: Habt ihr gehört, ein Kind ist geboren in einem ärmlichen Stall. Es soll ein neuer König sein.

Erzähler: Ein König soll in einer Futterkrippe auf Heu und Stroh liegen? Ungläubig schüttelten die Leute die Köpfe. Doch dann besannen sie sich. Ein jeder, der an den König glaubte, machte sich auf den Weg nach Bethlehem. Auch ein kleiner Esel wollte hingehen. Er wollte das Kind, den neuen König, begrüßen.
*(Ein Esel tritt ins Kulissenbild. Ihm folgt sein Herr.)*
Sein Herr wollte dies verhindern. Er sagte:

Herr: Das ist doch Unsinn. Ein König wird in einem Palast geboren und nicht in einem Stall. Du gehst nicht nach Bethlehem. Nein, das kommt überhaupt nicht in Frage. Du bleibst zu Hause in deinem Stall.

Erzähler: Der Herr verbot dem Esel, nach Bethlehem zu gehen. Aber der Glaube des kleinen Esels war so stark. Unbedingt wollte er das Kind in der Krippe sehen. So blieb ihm nichts anderes übrig, als heimlich wegzugehen.
*(Esel macht sich auf den Weg.)*
Es war tiefe Nacht, als der kleine Esel fortging. Er fürchtete sich in der Dunkelheit und wäre am liebsten gleich wieder umgekehrt.
*(Esel bleibt stehen und schaut zurück.)*

Esel: Ich will doch den neuen König begrüßen! Gewiss wird er mich freundlich anlächeln.

Erzähler: Bei diesem Gedanken verflog seine Angst. Fröhlich begann das kleine graue Eselchen zu singen.
Singt einfach alle gleich mit, steht auf und wir machen gemeinsam die Bewegungen dazu:

Lied: »Ich bin ein kleiner Esel« (Seite 51)

Erzähler: Und der kleine Esel ging weiter. Schritt für Schritt ging er nach Bethlehem. Steile Hügel musste er überwinden. Die Wege waren steinig. Doch der kleine Esel achtete nicht darauf. Er dachte nur an den König, den er begrüßen wollte.
Unterwegs begegnete er vielen Tieren. Zuerst sah er in der Ferne ein Kamel des Weges gehen.

Kamel: *(Eventuell mit Musik einleiten. Das Kamel bewegt sich auf den Esel zu.)*
Wohin gehst du, kleiner Esel?

Esel: Ich gehe nach Bethlehem. Ein neuer König ist dort geboren. Ich will ihn begrüßen. Darüber wird sich der neue König freuen und mich anlächeln.

Kamel: Was bildest du dir ein, kleiner Esel! Niemals wird dich ein König anlächeln. Du bist doch nur ein einfältiges und dummes Tier. Was willst du denn in Bethlehem?
*(Kamel stampft weiter, der kleine Esel bleibt nachdenklich stehen.)*

Erzähler: Traurig blickte der kleine Esel dem Kamel nach. Was sollte er tun? Sollte er weitergehen? Sollte er nicht doch lieber umkehren? Wieder erinnerte er sich an die Geschichte, die er gehört hatte: Den Hirten auf den Feldern bei Bethlehem waren Engel in goldenen Gewändern erschienen. Sie hatten von dem neuen König gesungen und vom Frieden auf Erden erzählt.

Esel: Ein König, für den Engel singen, die vom Frieden auf Erden reden, der wird auch mich nicht fortjagen. Ich gehe einfach weiter.

Erzähler: Zuversichtlich trottete der kleine Esel weiter, Schritt für Schritt.
*(Dem Esel begegnet nun eine Löwe, der sich ihm in den Weg stellt.)*
Auf einem Berg begegnete dem Esel ein Löwe. Der Löwe schaute ihn verächtlich an.

Löwe: Esel, wohin gehst du?

Esel: Nach Bethlehem. Ein neuer König soll dort geboren sein. Ich will ihn begrüßen.

Löwe: Ha, ha, dich wird kein König anschauen. Mich, den Löwen, wird er ansehen, denn ich bin ein gewaltiges Tier, du aber bist ein Taugenichts, ein Esel eben.

Erzähler: Der Löwe schüttelte seine prächtige Mähne und sprang davon. Völlig eingeschüchtert blieb der kleine Esel stehen. - Als er wieder aufsah, versperrte ihm ein Bär den Weg.
*(Esel bleibt stehen, der Bär redet.)*

Bär: Wohin des Weges, kleiner Esel?

Esel: Nach Bethlehem. Dort soll ein neuer König geboren sein. Den will ich begrüßen.

Bär: Du dummer Esel! Du bist doch gerade mal gut genug, um Lasten zu tragen. Du bist nicht würdig, vor einem König zu erscheinen und deinen Kopf vor ihm zu verneigen. Das müssen große Tiere tun wie ich. Geh zurück, wo du hergekommen bist!
*(Der Esel bleibt mit gesenktem Kopf stehen, während der Bär verschwindet.)*

Esel: Zurückgehen soll ich? Nein, das will ich nicht. Was wissen denn die großen Tiere von meinem Wunsch, den König in der Krippe zu sehen? Was kann ich dafür, dass ich ein Esel bin?

Erzähler: Immer wieder kamen Tiere vorüber, die ihn auslachten und ihn verächtlich musterten. Da begann der Esel sich seiner grauen Eselshaut zu schämen und wagte es nicht mehr, seine Augen zu heben. Ganz traurig ließ er seinen Kopf hängen.
*(Licht abdunkeln.)*

Erzähler: Wie finster es wurde. Nirgends war ein Licht, das den Weg zeigte. Oder täuschte er sich? War da nicht doch ein Licht - wie ein goldener Schimmer mitten in der Finsternis?

*(Lichteffekt mit Wunderkerzen. Engel treten herzu, festlich beschwingte Musik erklingt.)*

Die Engel, die in goldenen Gewändern zu ihm herabgestiegen waren, konnte der kleine Esel nicht erkennen. Aber er spürte ihre Nähe. Vertrauensvoll folgte er ihnen Schritt für Schritt nach Bethlehem.

*(Esel geht immer weiter.)*

Der kleine Esel achtete nun nicht mehr auf die Tiere, die ihm begegneten. Er sah nur noch das Licht, welches sich ausbreitete und immer heller wurde. Da erblickte er den Stern über Bethlehem und den Stall.
Freudig betrat der kleine Esel den ärmlichen Stall.
In der Futterkrippe lag ein Kind auf Heu und Stroh, so wie es gesagt worden war. Die Mutter Maria saß dabei, der Vater Josef stand daneben.
Leise begrüßte der kleine Esel den neugeborenen König. Und als das Kind ihm freundlich zulächelte, wusste der kleine Esel, dass der neue König auch einem Esel seine Liebe schenkt.

## Das schwarze Schaf, das mit zur Krippe kam

*(Diese Geschichte ist als Erzählung mit Zwischenrufen gestaltet. Vor der Erzählung übt man die einzelnen Zwischenrufe mit den Kindern ein: Das Blöken der Schafe, das Gebell der Hunde usw. Man kann die Kinder auch in Gruppen einteilen: die einen sind die Schafe, die anderen die Hunde usw. Der Erzähler gibt an der entsprechenden Stelle den Einsatz. Spannend ist die Geschichte sicher auch, wenn die einzelnen Gruppen selbst ihren Einsatz beachten müssen. Gegebenenfalls muss der Erzähler verpasste Einsätze geschickt einbauen, z.B. »Die Hunde bellten. – Da waren aber einige Hunde noch nicht ganz wach. – Die Hunde bellten.« – Die Zwischenrufer sind im Text kursiv gesetzt.)*

Etliche Jahre schon gehörte das schwarze Schaf zur Herde des Hirten Efraim. Draußen, auf den Feldern von Bethlehem, weidete die große Schafherde. Der Hirte Efraim, einige Hirtenjungen und etliche Hunde passten gut auf die Herde auf.
Das schwarze Schaf hatte es nicht immer leicht. Weil es ein dunkles Fell hatte – eben anders als die anderen war –, wurde es oft geschubst. »Geh weg, du gehörst nicht zu uns«, sagten die anderen Schafe böse. Nur der Hirte Efraim holte es hin und wieder zu sich und kraulte das dunkle Fell: »Du bist etwas Besonderes, du schwarzes Schaf! So gute Wolle bekomme ich von keinem aus der Herde.« Wenn der Hirte so redete, schloss das schwarze Schaf glücklich die Augen und war zufrieden.
Wieder war nach einem langen Tag der Abend gekommen. Die Hirten trieben die Herde zum Schlafplatz. Jedes Schaf schaute nach einem warmen Ort, da die Nächte immer kalt wurden. Das schwarze Schaf wurde weit nach hinten geschoben, bis es sich am hintersten Ende des Weidezaunes niederlassen konnte. Dort war es sehr kalt.

*(Schaffiguren durcheinander schieben, schwarzes Schaf im Hintergrund.)*

Bald kam die Nacht. Die Hunde bellten, die Schafe blökten und hin und wieder pfiff der Hirte Efraim seinen Hunden. Eine Unruhe war das. Immer wieder standen Schafe auf und schauten zum Himmel. Auch das schwarze Schaf wurde wieder und wieder an den Zaun gedrückt. Da stand es auf. Vorsichtig steckte es seinen Kopf durch den Weidezaun. Einzelne Sterne blinkten, der Mond schien. *(Bühne etwas abdunkeln.)*

Wieder und wieder blökte die Herde. Auch das schwarze Schaf rief ganz laut, weil die Nacht so kalt war. Da, plötzlich sah es ein helles, warmes Licht.
*(Mit Wunderkerzen oder mehreren Kerzen eine Ecke ausleuchten.)*

Größer und heller wurde der Lichtschein. Und dann waren da viele Stimmen. Sie klangen wie Musik. *(Flötentöne)*
Eine Stimme sprach: »Gott sagt euch, dass Friede auf Erden wird. Alle Menschen sollen es hören. Ehre sei Gott in der Höhe.«
Wieder und wieder hörte das Schaf diesen Gesang. Und weil es so hell war, schloss es die Augen. Der Hirte Efraim war vor Schreck umgefallen. Die anderen auch. Eine Stimme war noch einmal zu hören, die sprach: »Ihr Hirten, geht nach Bethlehem. Dort werdet ihr das Zeichen finden, dass Gott Frieden schafft. Ihr werdet finden ein Kind in Windeln gewickelt und in einer Krippe liegen.« Dann wurde es dunkel. Noch finsterer war die Nacht. Die Hirten standen auf. Efraim konnte zuerst wieder reden. »Wenn Engel uns arme Hirten und unsere Schafe besuchen, dann ist etwas Großes geschehen. Kommt, wir gehen. Wir suchen das Kind. Wir grüßen es.«
Und Efraim ging. Zuerst ging er am Weidezaun entlang, denn die Schafe sollten sicher schlafen können. Da sah er auch das schwarze Schaf. Liebevoll streichelte er es und sagte: »Du hast sicher auch das Licht gesehen und die Engel gehört. Diese Freude gilt auch den Tieren. Komm, du gehst mit uns.« Und er hob das schwarze Schaf über den Zaun.
So kam es, dass das schwarze Schaf in den Stall von Bethlehem kam. Alles hat es gesehen: den Stern hoch am Himmel, Maria und Josef, den Ochs und den Esel, und das kleine Kind in der Krippe. »Du bist unser Licht. Wir grüßen dich«, sagte Efraim, als sie dort waren, und alle Hirten verneigten sich. Das schwarze Schaf blökte leise dazu. Fröhlich ging es mit den Hirten zur Herde zurück.
*(Alma Grüßhaber)*

*Rituale und Gebete*

## Wieder wird es Weihnachten

Lieber Gott,
wieder wird es Weihnachten. Wir freuen uns auf das Fest.
Wir hören die Geschichten von der Geburt deines Sohnes.
Lass uns erfahren, dass du alle Menschen froh machen willst.
*(Alma Grüßhaber)*

## Vielleicht muss man nicht nach Bethlehem gehen

Vielleicht muss man nicht nach Bethlehem gehen,
um dort das Kind im Stall zu sehen.
Vielleicht ist das richtige Weihnachten hier
bei dir und bei mir.
Ich glaube, wir sehen auch jetzt den Stern,
in unserer Stadt,
und er sagt: Dich habe ich gern.

(Aus: Regine Schindler, »Gott, ich kann mit dir reden«

## Der Geburtstag Jesu

Kommt her, kommt her, ihr Leute!
Wir feiern Geburtstag heute.
Geboren ist für uns der Mann,
der von Gott erzählen kann.

Kommt her, kommt her, ihr Leute!
An Jesus denken wir heute.
Er liebt die Kleinen und Schwachen.
Wir wollen singen und lachen!

(Aus: Regine Schindler, »Gott, ich kann mit dir reden«


## Ich bin ein kleiner Esel

*Lieder, Bewegung, Tänze*

Kanoneinsätze bei Beginn von A, B, C
Schrittart: Gehschritt

### Grundtanzform

| | |
|---|---|
| Teil A | Mit »schwerem« Gepäck im Kreis gehen |
| Teil B | Mit dem Hinterteil nach links und rechts wackeln (twisten!) |
| Teil C | Abwechselnd nach links und rechts nicken, dabei »i-a« rufen. |

### Aufstellung zu Tanzform 1

Einstimmige Form: (für wenige und vor allem jüngere Kinder)
Einzeln auf der Kreisbahn,
Blick in Tanzrichtung
ohne Fassung (siehe Zeichnung)

Mehrstimmige Form: (für mehrere Kinder)
Einzeln in drei lockeren Gruppen auf der Kreisbahn (siehe Zeichnung).
Jede Gruppe tanzt mit Abstand von den anderen Gruppen.
Tanzeinsätze wie beim Kanonsingen, am Schluss immer aussingen lassen.

*(weiter auf der nächsten Seite)* ▶

**Aufstellung zu Tanzform 2**

Mehrstimmige Form: (für mehrere Kinder)
Drei Gruppen, je in einer Reihe, frei im Raum verteilt, Hände auf den Hüften oder Schultern des Vorderen (siehe Zeichnung).
Jede Gruppe sucht sich beim Tanzen der Grundform ihren eigenen Weg.

**Aufstellung zu Tanzform 3**

(für viele Kinder)
drei konzentrierte Kreise, jeweils durchgefasst (siehe Zeichnung).
Jeder der drei Gruppen tanzt zuerst alleine und einstimmig;
anschließend nacheinander im Kanon.

*Hinweis:* Zuerst muss Tanzform 1 beherrscht werden. Danach stehen die anderen Aufstellungen zur Auswahl.

Geeignetste Teilnehmerzahl: 5–10 Personen je Gruppe.

Durch die Darstellung der drei verschiedenen Rhythmen der Melodie ist das mehrstimmige Singen und Tanzen leichter als sonst bei Kanontänzen.

Tanzform: Cläre Fasbender, Text und Melodie: überliefert, Aus: Tanzkarussell, Band 1, Fidula-Verlag, Boppard/Rhein und Salzburg

## Komm mit mir

2. Im Stall liegt das Kind
hier auf Heu und Stroh.
Der Herr ist geboren,
wir sind alle froh.
Refrain

3. Das Kind in der Krippe,
es heißt Jesus Christ.
Wir freu'n uns, weil heut sein
Geburtstag ist.
Refrain

Text: Rolf Krenzer; Musik: Peter Janssens, aus: »Kommt alle und seid froh«, 1982.

## Lasst das Lied der Liebe weiterklingen

2. Lang, ganz lang in jener Nacht
hielten Ochs und Esel Wacht,
Könige, die sangen froh
für das kleine Kind im Stroh.
Refrain

3. Schnell, ganz schnell, von überall,
kamen viele zu dem Stall.
Und die Menschen sangen froh
für das kleine Kind im Stroh
Refrain

Text und Musik: Detlev Jöcker,
aus Buch, CD und MC:
»Meine Weihnachtszauberwelt«.


## Weitere Lieder:

»Ihr Kinderlein, kommet« (EG 43; KG 34; LJ 44)
»Zu Bethlehem geboren« (EG 32; GL 140; LJ 37)
»O du fröhliche« (EG 44; KG 33; LJ 45)
»Stille Nacht« (EG 46; GL 145; KG 32; LJ 46)
»Stern über Bethlehem« (EH 193; KG 42; LJ 326; MKL 131; SL 125)
»Jesus ist geboren in Bethlehem« (EH 192; SL 127)

*Literatur*

Max Bolliger, Ivan Gantschev, »Das Licht des kleinen Hirten«, Verlag Ernst Kaufmann, Lahr 1990

Gerda-Maria Scheidel, »Ein Esel geht nach Bethlehem«, illustriert von Bernadette, Nord-Süd-Verlag AG, Gossau-Zürich/Basel.

Renate Schupp, Ivan Gantschev, »Das Weihnachtsschiff«, Verlag Ernst Kaufmann, Lahr 1995

*Spiele, Basteln Kreatives*

## Esel aus Tonpapier

**Material:**

graues Tonpapier, Bleistift, Filzstift, Schere

**Herstellung:**

Nach der Schablone (unten) anfertigen. Ausschneiden (Tonpapier doppelt legen), am Rücken knicken, so dass das Tierchen stehen kann. Ohren, Augen, Maul und Schwanz mit Filzstift ausmalen (siehe Beispiel unten).
Eignet sich als kleines Geschenk oder zum Weiterarbeiten für weitere Krippenfiguren aus Papier.

## Kulissenbild

**Material:**

Große Papierbahnen, Kartonstücke oder Tapete, Kleister, Abtönfarben

**Werkzeug:**

Papierschere, dicke Pinsel, Bleistift, Abdeckfolie, Tackerapparat, ggf. einige Holzlatten für einen Rahmen, um die Kulisse zu befestigen.

**Herstellung:**

Klären, welcher Ausschnitt gemalt werden soll, oder in welcher Abfolge die Bilder gestaltet werden.
Kinder und Erwachsene können gemeinsam am selben Bild arbeiten.

*Beispiele:*

Hirtenfeld und Krippe
Bethlehem und der Stall
Weg der Hirten

Eventuell mit Bleistift vorher skizzieren. Trockenzeit der Farben einrechnen. Die Befestigung der Kulisse vorher klären: Gibt es in dem Raum Möglichkeiten, etwas aufzustellen oder aufzuhängen? Was muss vorbereitet werden? Wie lang nimmt der Auf- und Abbau in Anspruch? Wo wird das fertige Kulissenbild zwischengelagert, wo aufbewahrt?

## Sterne-Rezept für ein schnelles Weihnachtsgebäck

**Zutaten:**

500 gr Mehl
(es kann auch Vollkornmehl verwendet werden. Dann 1 Ei mehr zugeben.)
250 gr Butter
125 gr Zucker
1 Prise Salz
die abgeriebene Schale einer Zitrone
3 ganze Eier
2 Eigelb zum Bestreichen
Sesam, Sonnenblumenkerne oder grob gehackte Nüsse zum Bestreuen

**Werkzeug:**

Die mit Mehl bestreute Fläche zum Kneten des Mürbeteiges
Wellholz
Sternformen zum Ausstechen
2–4 Kuchenbleche, Backpapier
Dose zum Aufbewahren

**Herstellung:**

Aus den Zutaten einen Mürbeteig herstellen. Ca. 1 Stunde im Kühlschrank ruhen lassen. Teig auswellen, Sterne ausstechen, auf das mit Backpapier ausgelegte Blech legen. Mit Eigelb bestreichen, mit Sesam, Sonnenblumenkernen oder gehackten Nüssen bestreuen. 8–10 Minuten bei Mittelhitze backen.
Auf einem Kuchengitter erkalten lassen.
Rezept ergibt ca. 100 Stück.

*(Weiterer Bastelvorschlag Seite 56)* ▶

## Naturwollschaf

### Material:

Große Kartonstücke,
ungesponnene Naturwolle in schwarz und weiß (pro Schaf werden etwa 60–100 gr Wolle benötigt)

### Werkzeug:

Schere, Klebstoff (ggf. Kleister), Bleistifte, schwarzer Filzstift

### Herstellung:

Schablone (unten) evtl. noch vergrößern und Umrisse auf den Karton zeichnen. Für ein Schaf je zwei Hälften ausschneiden. An der gestrichelten Linie umknicken. Stehleisten sollten ca. 1,5–2 cm breit sein.

Die zwei Körperhälften des Schafs werden zusammengeklebt. Immer nur bis zur gestrichelten Linie verkleben, d.h. die Stehleiste bei den Füßen bleibt frei und wird später nach außen geklappt.
Die Ohren rechts und links ankleben. Die Augen mit Filzstift anbringen. Gesicht, Ohren und geknickte Füße werden nicht mit Wolle beklebt. Den Rest des Körpers mit Klebstoff bestreichen, Naturwolle auflegen, leicht festdrücken, umdrehen und die andere Seite ebenso bekleben. Die Füße am Knick auseinander klappen. Nun kann das Schaf stehen. Da die Pappe schwer ist, die beiden Schafhälften nicht ganz aufeinander kleben, so dass die Füße etwas gespreizt aufgestellt werden können.

# Fasching

Zum Thema

## Dazu wollen wir anstiften

Der Februar hat als Festzeit die Fastnacht. Sie hat vielerlei Namen: Karneval, Fasching oder Fastnacht. »Carne val«, heißt im Lateinischen »Fleisch leb‘ wohl«, denn nach Rosenmontag und Faschingsdienstag folgt der Aschermittwoch, der die Fastenzeit einleitet. Die verschiedenen Bräuche heben die Lebhaftigkeit des Feierns vor dem Fasten hervor, denn dann folgen bis Ostern 40 Tage ohne Fest.

Tanz, Maskentragen, Umzüge, scherzhafte Rügenspiele (z.B. Büttenreden) gehören überall dazu, wo Fasching gefeiert wird. Im 15. Jahrhundert musste die katholische Kirche dagegen einschreiten, weil das Faschingstreiben auch vor der Verspottung kirchlicher Würdenträger (wie etwa dem Papst) nicht halt machte. Das heitere Spiel und bunte Treiben hat sich aber in katholischen Gegenden bis heute als Festzeit gehalten. Viele Dörfer und Städte haben ihr eigenes Brauchtum, ihre Masken und Umzüge.

Die protestantische Kirche ignoriert Fasching. Einzig die protestantische Stadt Basel hat seit dem 19. Jahrhundert Pfeiferaufzüge, die nach Aschermittwoch beginnen.

In katholischen Gegenden, in denen das Faschings- und Karnevalsbrauchtum lebendig ist, werden am Faschingssonntag ganz selbstverständlich Kinder- und Familiengottesdienste gefeiert, bei denen die Kinder verkleidet in die Kirche kommen dürfen.

Unabhängig von Konfessionsgrenzen ist in Schulen und Kindergärten das Verkleiden an Fasching schon zur Tradition geworden.

Kinder lieben es, in andere Rollen zu schlüpfen. Das Spiel in anderen Rollen und Verkleidungen ist wichtig für die Entwicklung des eigenen Selbst. Kinder proben damit: Wer bin ich, wer will und kann ich sein? Wie reagiert meine Umgebung, wenn ich mal anders bin als sonst? Werde ich dann auch akzeptiert, bin ich vielleicht sogar mehr wert? So ist die Faschingszeit für viele ein Ereignis, das mit viel Vorfreude und mancherlei Vorbereitung verknüpft wird. Einmal Prinzessin oder Piratenkönig sein, einmal Katze oder Zauberer spielen, einmal als prächtigster Ritter oder schönste Fee bewundert werden - das sind keineswegs nur Kinderträume. In jedem Menschen steckt der Traum, am größten, schönsten, stärksten zu sein. Dieses »Rollenbegehren« ist Thema des Gottesdienstes.

## Theologische Überlegungen: Welche Sicht des Lebens haben wir?

*(Peter Hitzelberger)*

Ist für einen frommen Christen alles, was Spaß macht, verboten? Die Frage beinhaltet ein Vorurteil, das nicht nur Kirchenferne mit sich herumtragen. Natürlich haben die Kirchen mit ihren Verboten weltlicher Ausschweifungen viel zu dieser landläufigen Meinung beigetragen. Gerade zur Faschingszeit fühlten sich Prediger und andere »fromme« Christen berufen, gegen die Laster zu Felde zu ziehen oder für die »Sünder« umso eifriger zu beten.

Heute wird unsere Gesellschaft vielfach als reine Spaßgesellschaft charakterisiert. Das Leben ist aber nicht nur Spaß und nicht nur bitterer Ernst. Beides muss seinen Platz haben: Ausgelassenheit und Selbstbeschränkung, Feiern und Fasten. Es tut uns nicht gut, wenn wir ständig alles im Überfluss genießen, aber es schadet uns auch, wenn wir uns selbst nichts gönnen.

Letztlich ist es nicht nur eine Anfrage an die eigene Lebensauffassung und – bewertung, sondern auch an unser Gottesbild. Das Lachen ist von allen Geschöpfen einzig dem Menschen von Gott mitgegeben.

Wir sollten bewusst Akzente setzen und Jahreszeiten – auch mit den Kindern – entsprechend gestalten. In unserer modernen Welt sind viele natürliche Rhythmen stark in den Hintergrund getreten (Tag und Nacht, Sonntag und Werktag, Wärme und Kälte, der Wechsel der Jahreszeiten und dementsprechend das Angebot an Nahrungsmitteln, das bei uns auf den Tisch kommt), gesund ist diese Entwicklung nicht. »Wenn Rebhuhn – dann Rebhuhn, wenn Fasten – dann Fasten«, soll die spanische Heilige Theresa v. Avila gesagt haben. Diesen Sinn für die vitalisierende Wirkung von Gegensätzlichkeiten sollten wir wiedergewinnen bzw. uns erhalten.

# Gott liebt den Cowboy und den Eskimo

*Gottesdienst zur Faschingszeit*

## Zur Darbietung und Gestaltung

Für die Erzählung wurde die Figur eines Bären gewählt, der Räuberhauptmann werden will. Damit wird der Beobachtung Rechnung getragen, dass Kinder oft die Rollen wählen, die auch Ängste auslösen. Denn ein Räuberhauptmann kann ein Kind bedrohen, verletzen oder gar entführen. Wenn ein Kind nun in die mit Angst besetzte Rolle schlüpft, so bewältigt es damit immer auch ein Stück eigener Herausforderung.
Der Räuberhauptmann in der Geschichte erfährt, dass er anderen einen Schrecken einjagt und die besten Freunde davonrennen. Nur eine Person gibt es, die ihn trotzdem liebt: die Mutter. Der »Spieler« erreicht, was er will: der Stärkste, Mächtigste, Bedrohlichste zu sein. Was aber, wenn ihn keiner mehr lieb hat? Diese Frage nimmt die Erzählung auf und bietet dem Kind eine Lösung an, die für jeden Menschen gilt.
Die Mutter ist es, die ihr Kind kennt und dies ausspricht: »Ich habe dich lieb, egal was du angezogen hast.« Was die Mutter in der Geschichte ihrem Kind sagt, gilt aber nach unserem Glaubensverständnis für alle Menschen: Gott liebt jede und jeden, egal, welche Masken aufgesetzt werden. Er sieht nach »innen«, kennt die Sehnsucht und die Träume, die Menschen haben. Und er sagt: Du bist mein geliebtes Kind, egal wie unvollkommen du bist. Dieses absolute Geliebt- und Angenommensein ist Grund zur Freude und zum Feiern.

## Der Kleine Bär im Räuberkostüm - Ein Gottesdienst zur Faschingszeit mit Handpuppenspiel

*(Entwurf, Idee und Gestaltung: Kirchengemeinde Altbach, Pfr. S. Liebau und U. Liebau, Familien Hofmann, Kandziora, Luh, Mader und Zilinski.)*

**Intention:**

Ich bin geliebt und angenommen, auch wenn ich eine andere Rolle spiele.

**Vorbereitung:**

Einladungsbrief: Die Kinder dürfen verkleidet in die Kirche kommen. Indianer, Cowboys, Ritter etc. werden gebeten, ihre Waffen zu Hause zu lassen.
Eine Puppenbühne ausleihen, nebst Figuren dazu: ein Bär, Bärenmutter, Bärenvater, Bärengroßvater (eventuell Kuscheltiere verwenden, an Perlonfäden befestigen)
Räuberkleider, Prinzessin, Krokodil, Polizist (z.B. vom Kindergarten).

**Liturgischer Ablauf:**

Vorspiel
Begrüßung
Lied: »1,2,3, hier geht es rund« (Seite 63)
Einführung: »Warum wir Fasching feiern« (Seite 62)
Gebet: »Wo ich gehe, wo ich stehe« (Seite 63)

- Erzählung und Handpuppenspiel: »Der kleine Bär im Räuberkostüm« (siehe unten)
- Liedeinführung (Seite 63)
- Lied: »Ja, Gott hat alle Kinder lieb« (Seite 64)
- Gebet: »Herr, wir freuen uns, der Tag ist schön« (Seite 63)
- Vaterunser und Segen
- Auszug: Polonaise

## Bausteine zum Gottesdienst

### Der kleine Bär im Räuberkostüm – Erzählung und Puppenspiel

*Die Erzählung*

**1. SZENE**

*(Am Frühstückstisch, Mutter, Vater, kleiner Bär)*

Es ist Rosenmontag. Mutter Bär und Vater Bär sitzen beim Frühstück. »Wo der kleine Bär bloß bleibt?«, fragt die Mutter. Da kommt er schon, der kleine Bär. Er ist ganz aufgeregt. Heute darf er sich verkleiden. Aber: was könnte er bloß werden? Wie soll er sich verkleiden? Nun kommt Fasching und er weiß es noch immer nicht. Gemeinsam überlegen Vater Bär und Mutter Bär und der kleine Bär, was man machen könnte. Die Mutter schlägt vor: »Du könntest Prinz werden!« Der kleine Bär schüttelt den Kopf. »Du könntest ein gefährliches Krokodil sein«, meint der Vater.
Der kleine Bär schüttelt den Kopf. »Wie wäre es, wenn du wieder ein Cowboy wärst?«, fragt die Mutter. Wieder schüttelt der kleine Bär den Kopf und jammert: »Das war ich doch schon letztes Jahr!« Sie überlegen hin und her. Schließlich muss Vater Bär zur Arbeit. Der kleine Bär läuft ihm hinterher. Dann ruft er der Mutter zu: »Ich geh zu Opa. Der weiß bestimmt, was ich werden könnte.« Dann winkt der kleine Bär der Mutter und rennt weg.

**2. SZENE**

*(Auf der Straße, Bärenopa mit Besen, daneben aus Holzstücken ein Schuppen)*

Der Bärenopa fegt gerade die Straße, als der kleine Bär angerannt kommt. »Hast du Zeit?«, fragt der kleine Bär. Opa Bär lehnt sich an seinen Besen und nickt. Der kleine Bär klagt: »Ich weiß gar nicht, wie ich mich zu Fasching verkleiden soll. Ich brauche dringend eine gute Idee, Opa!« Opa Bär stellt seinen Besen ab. Beide laufen hin und her. Auf einmal hat der kleine Bär eine tolle Idee. »Opa, ich hab's!«, ruft er. »Opa, ich will ein Räuber werden. Ein ganz gefährlicher Räuberhauptmann.« – »Dann müssen wir im Holzschuppen nach einer passenden Verkleidung suchen«, meint der Bärenopa. Sie gehen beide in den alten Schuppen.

**3. SZENE**

*(Etwas Zeit verstreicht. Der kleine Bär wird umgezogen, d. h. die Kasperlefigur »Räuber« wird ihm um den Bauch gebunden. Dann erscheinen die Figuren wieder.)*

Ganz fröhlich kommt der kleine Bär aus dem Schuppen. »Schau Opa«, ruft er, »schau, wie gefährlich ich nun aussehe. Da werden die anderen aber staunen.« Der Bärenopa nickt und schaut den kleinen Bären von allen Seiten an. »Gut siehst du aus. Ganz anders als sonst«, brummelt er. »Danke Opa und Tschüss«, sagt nun der kleine Räuber-Bär und macht sich auf den Heimweg.

### 4. SZENE

*(Figuren Prinzessin, Krokodil und Polizist bereitlegen.)*

Der kleine Räuber-Bär macht sich fröhlich auf den Weg nach Hause. Er findet seine Verkleidung ganz toll. »Wenn mich nur jemand sehen könnte«, denkt er. Da kommt auch schon Elli. Der kleine Bär kennt sie, obwohl sie heute ein Prinzessinnenkleid anhat. Der kleine Bär läuft auf Elli zu, doch Elli rennt schreiend weg. »Ein Räuber, ein Räuber«, ruft sie und versteckt sich. Nach einer Weile trifft der kleine Bär seinen Spielfreund, Peter. Peter ist heute ein Krokodil. Als Peter den Räuber sieht, klappert er mit den Zähnen und nimmt Reißaus. An der nächsten Ecke kommt Stefan aus dem Nachbarhaus. Stefan ist heute ein Polizist. Der kleine Bär schleicht sich an ihn heran, denn ein Polizist darf doch vor keinem Räuber Angst haben. Stefan dreht sich um, sieht den Räuber - und - so schnell habt ihr noch nie einen Polizisten verschwinden sehen. Weg ist er. Der kleine Bär steht alleine da.

### 5. SZENE

*(wieder zu Hause, die Bärenmutter)*

Erstaunt und verwundert tippelt der kleine Bär nach Hause. Er ist selbst ein bisschen erschrocken, dass alle solche Angst vor ihm haben. Sieht seine Verkleidung wirklich so gefährlich aus? Zu Hause angekommen, ruft er: »Huh, hier kommt ein großer Räuber.« Aber Mutter Bär erschrickt nicht. Sie breitet die Arme aus und sagt: »Kleiner Bär, du bist aber ein gefährlicher Räuber.« Der kleine Bär fragt: »Bist du denn gar nicht erschrocken?« Die Mutter schüttelt den Kopf und sagt: »Du siehst zwar aus wie ein wilder Räuber, aber an deiner Stimme habe ich dich erkannt. Du bist mein kleiner Bär.« Da zieht der kleine Bär das wilde Kostüm aus und sagt: »Am liebsten bin ich doch dein Bärenkind. Wie bin ich froh, dass du mich erkannt hast.« Da umarmt ihn die Mutter. »Ich hab dich doch lieb, egal, was du anhast«, sagt sie.

*Einführungen*

## Einführung: Warum wir Fasching feiern

Heute sind wir eine ganz bunte Schar in unserer Kirche. Ihr seid verkleidet, und das gehört zur Faschingszeit. Man erzählt sich, dass in früheren Zeiten die Menschen überlegt haben: Wie können wir noch einmal so richtig toll feiern, bevor die lange Fastenzeit beginnt, die 40 Tage dauert. Dann haben sie entdeckt, dass man sich in andere Rollen verkleiden kann, dass man sich schmücken kann und tanzen und lachen und schunkeln. Sich freuen und fröhlich sein, das ist etwas für Menschen, die zu Gott gehören. Denn Gott freut sich, wenn die Menschen fröhlich sind.
So freuen wir uns heute an den vielen bunten Kostümen. Wir wollen uns mal einige betrachten und sehen, was sie darstellen sollen:

- Wer bist du? Was kannst du als ... gut? (Einige Kinder kommen nach vorne und erzählen.)
- Wie möchten wir gerne sein? Warum wir gerne Prinzessin oder Superman sind.
- Was wir immer wissen sollten: Wir müssen nicht die Gefährlichsten, Mutigsten, Schnellsten, Besten, Schönsten sein. Unsere Eltern und Freunde lieben uns, wie wir sind. Auch Gott liebt uns und beurteilt uns nicht nach unserem Kostüm.

## Liedeinführung

Die Bärenmutter in unserer Geschichte erkennt ihr Kind immer, auch wenn es als gefährlicher Räuber verkleidet ist, auch wenn es seine Stimme verstellt. Wir sind Gottes Kinder, und Gott kennt uns und hat uns lieb.
Das Lied »Ja, Gott hat alle Kinder lieb« will uns begleiten. Wir suchen für jeden Vers eine passende Bewegung (s. Seite 64):
Eskimo: sich die Hände reiben; Chinese: Hände seitlich am Kopf halten (Geste für den Hut); Afrikaner: schneeweiße Zähne zeigen; Indianer: schleichende Bewegungen machen; Europäer: sich auf die eigene Nase drücken. – Refrain: klatschen.

*Rituale und Gebete*

## Wo ich gehe, wo ich stehe

Wo ich gehe, wo ich stehe,
bist du, guter Gott, bei mir.
Wenn ich dich auch niemals sehe,
weiß ich dennoch, du bist hier. *(Volksgut)*

## Herr, wir freuen uns, der Tag ist schön

Herr, wir freuen uns, der Tag ist schön!
*(Alle recken die Arme nach oben und springen hoch.)*

Schön ist das Lachen, das Singen, das Sehn.
*(Alle klatschen in die Hände.)*

Schön ist das Spielen, das Springen, das Gehn.
*(Alle gehen im Kreis.)*

Herr, wir freuen uns, der Tag ist schön!
*(Alle recken die Arme nach oben und springen einmal hoch.)*

*(Text: Gertrud Lorenz, Rechte bei der Autorin)*

*Lieder, Bewegung, Tänze*

## 1, 2, 3, hier geht es rund ...

Text und Musik: Daniel Kallauch,
© cap!-music, 72213 Altensteig

## Ja, Gott hat alle Kinder lieb

2. Ich habe einen langen Zopf,
trag einen spitzen Hut.
Und meine Haut, die ist ganz gelb,
das steht mir aber gut.
Ja, Gott hat alle Kinder lieb ...

3. Bei uns im großen Afrika,
da scheint die Sonne heiß.
Ich bin ganz schwarz, hab krauses Haar
und Zähne blitzeweiß.
Ja, Gott hat alle Kinder lieb ...

4. In meinem bunten Federschmuck
schleich ich mich durch den Wald
ganz leis auf meinen Mokassins,
wenn's knistert, mach ich halt.
Ja, Gott hat alle Kinder lieb ...

5. Europa heißt der Teil der Welt,
wo ich zu Hause bin.
Und mein Gesicht, das ist ganz weiß,
die Nase mittendrin.
Ja, Gott hat alle Kinder lieb ...

6. Und ich bin das Zigeunerkind,
zieh mit von Ort zu Ort.
Doch wenn ich mal im Himmel bin,
dann brauch ich nicht mehr fort.
Ja, Gott hat alle Kinder lieb ...

## Bist du auch da, bist du auch da ...

*Aufstellung im Kreis.*

| | |
|---|---|
| Bist du auch da, bist du auch da, | *einander zuwinken* |
| ich bin da, ich bin da, | *sich verbeugen* |
| und dann seh ich die da, | *auf jemand zeigen* |
| und dann seh ich den da. | *auf jemand zeigen* |
| Jetzt gehts los, Jetzt gehts los. | *aufstampfen* |

Text: Bernhard Kurrle. Melodie nach dem Lied »Bruder Jakob ...«

## Weitere Lieder

»Das wünsch ich sehr« (LJ 488; LzU 10; MKL 5; SL 218)
»Alle Kinder dieser Erde« (KG 126; SL 203. Text in beiden Liederbüchern gleich. Melodie verschieden.)
»Wenn einer sagt: Ich mag dich, du« (Kindermutmachlied; KG 150; LJ 624; LzU 55; MKL 100; SL 221)
»Wir sagen guten Morgen« (Seite 77; vor allem mit den angegebenen weiteren Versmöglichkeiten)
»Wir feiern heut' ein Fest« (SL 5)
»Lasst uns feiern« (KG 208; LzU 63)
»Wir fangen an, fröhlich zu sein« (LzU 95; SL 224)
»Kommt alle her« (KG 185; abgedruckt auch in »Komm in Gottes Schöpfungsgarten«, dem ersten Band der Reihe »Materialien zur Gemeindearbeit«, S. 114)

# Zaubertüte (Tüte mit zwei Öffnungen)

**Material:**

Papierbogen im Format DIN A 4 (Faltpapier oder Kopierpapier), Buntstifte, Glitzersternchen oder Glitzerpulver, Bastelkleber

**Herstellung:**

Die Tüte wird in folgenden Schritten gefaltet (siehe dazu Zeichnungen unten):
1. Das A 4-Papier zur Hälfte falten, aufklappen.
2. Die linke Ecke zur Mittellinie falten.
3. Die rechte untere Ecke zur Mittellinie falten. Dabei wird die erste Ecke überlappt.
4. Dasselbe wird mit der gegenüber liegenden Seite gemacht. So entsteht ein Quadrat.
5. An der Mittellinie beide Dreiecke aufeinander falten. Die gefaltete Seite kommt nach innen.
6. Zum Schluss Ecke a und b ineinander schieben. Nun ist eine Tüte mit zwei Öffnungen fertig. Sie kann beklebt, bedruckt oder bemalt werden.

*Zaubertrick:* Einen Gegenstand (Briefmarke, Sticker, Bildchen) in die Tüte legen. Sie wird dem Publikum gezeigt. Dann kommt ein Zauberspruch, die Tüte wird fix gedreht und der Zuschauer sieht in die leere Öffnung. Wo ist der Gegenstand?

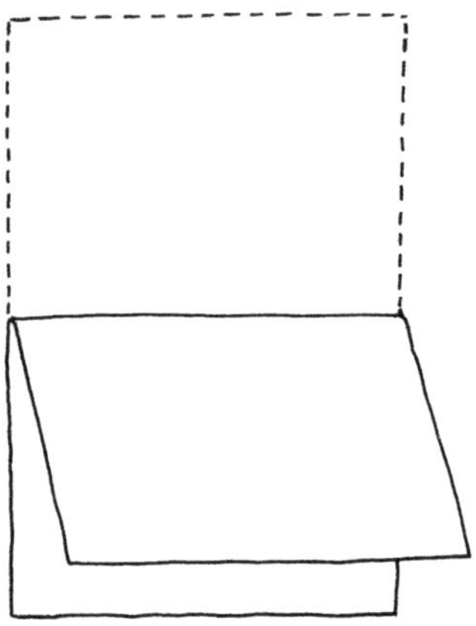

1.

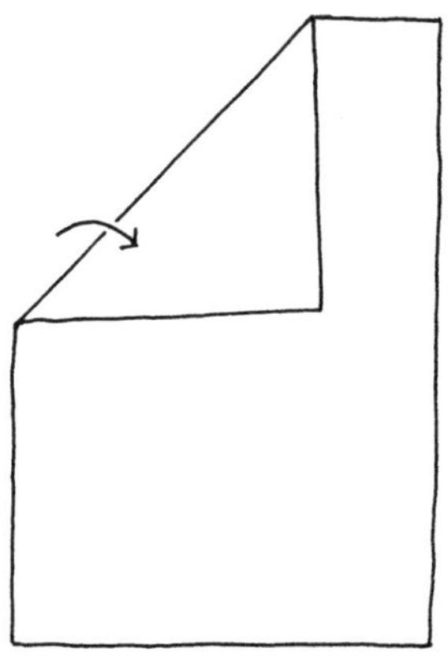

2.

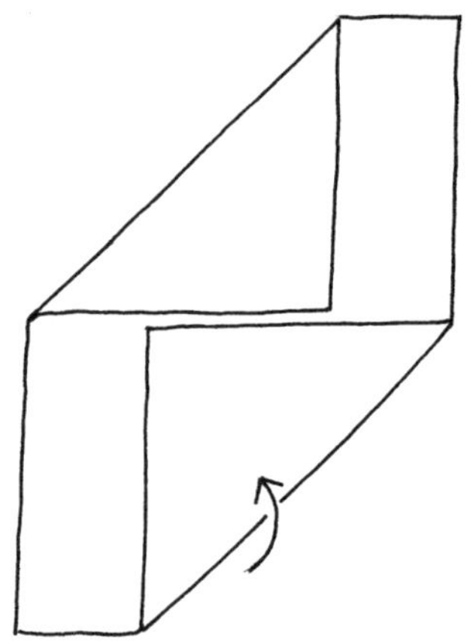

3.

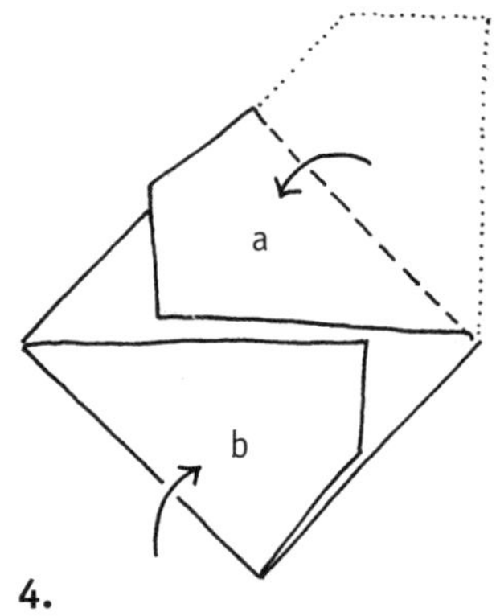


4.

5.

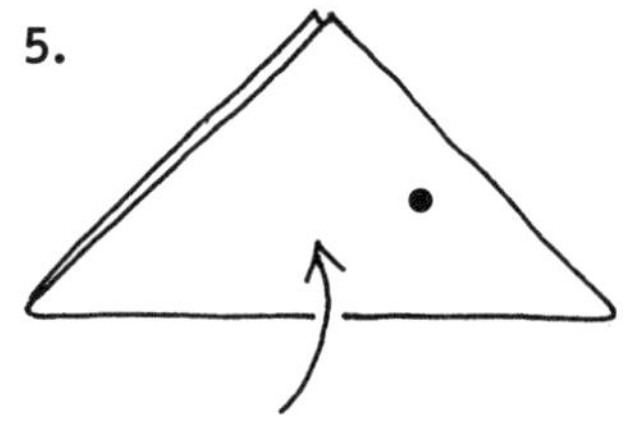

6.

## Sockentier (Handpuppe)

**Material:**

Je eine Socke, ein Karton DIN A 4, zwei Knöpfe, Wollreste, Stoff- und Fellreste, Bleistift, Klebstoff, Scheren

**Herstellung:**

Die Socken anziehen, vom Fuß einen Umriss auf den Karton zeichnen, ausschneiden.

Die Socken ausziehen. Der Kartonfuß wird auf die Fußsohle der Socken geklebt. Wenn dies getrocknet ist, wird die Socke wieder umgedreht und man schlüpft mit der Hand hinein. Nun kann erstmals das Maul geöffnet werden. Dann kann dekoriert werden: Augen, gefährliche Zähne, Haare, eine Zunge, Ohren. Der Phantasie sind keine Grenzen gesetzt.
Die Sockentiere eignen sich wunderbar zum Handpuppenspiel (s. Erzählung S. 61).

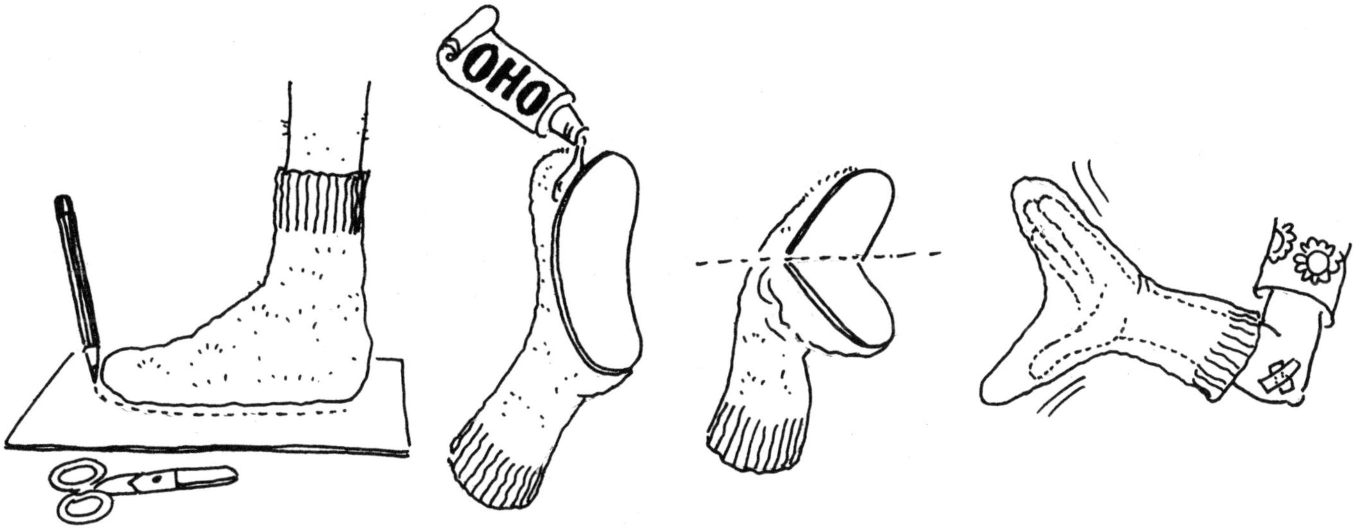


1. 2. 3. 4.

# Ostern

Zum Thema

## Dazu wollen wir anstiften

Ostern ist heute in unserem Kulturkreis ein buntes Frühlingsfest geworden, Ostereier und eine Vielfalt von anderem Osterschmuck sollen uns auf das Fest einstimmen. Können wir den Kindern den tieferen Sinn der Symbole vermitteln?

Wenn wir mit den Kindern feiern, zeigen wir etwas, was die Natur anschaulich bietet, das Spiel der Verwandlung: von der Trauer zur Freude, vom Starren zum Leben.

Osterbrot und Ostereier erzählen vom neuen Leben. Insofern haben diese säkularen Symbole mit dem Tod Jesu und seiner Auferstehung zu tun. Sie sind österliche Zeichen. Wir wollen mit den Gottesdienstentwürfen anregen, zwei österliche Symbole zu deuten und zu erleben: das Brot als Erinnerungszeichen an Jesus und das Osterei als Zeichen des neuen Lebens.

## Theologische Überlegungen: Wie wir von Ostern erzählen können

Ostern ist das wichtigste Fest der Christen. Um das Jahr 60 n. Chr. begannen die Christen der Urgemeinde, es zu feiern. Ostern wurde in Erinnerung an den nächtlichen Auszug des jüdischen Volkes aus Ägypten ebenfalls nachts gefeiert. Aus dem jüdischen Paschafest wurde das Osterfest. Es richtet sich zeitlich nach dem jüdischen Mondkalender, ist ein »bewegliches« Fest und fällt in die Zeit zwischen dem 23. März und dem 25. April. In der alten Tradition wurde Ostern als »Übergang« gefeiert: Vor Mitternacht wurde an den Tod Jesu gedacht, am frühen Morgen feierte man die Auferstehung Jesu. Erst nach Jahrhunderten entstand die Einteilung Karfreitag: Gedenken des Todes; Ostersonntag: Fest der Auferstehung.

Kinder kennen Traurigkeit und Tränen und leben ihre »Passionen«. Die Passion Jesu aber, sein Leidensweg und der Tod am Kreuz bleiben ihnen verborgen und lösen Furcht aus. Der Jesus, der gerade (an Weihnachten) geboren wurde, soll gleich wieder sterben? Der Jesus, der jeden Menschen liebt, soll hilflos leiden? Bei einem Kirchenbesuch wurde ein Zweijähriger sehr zornig. Er deutete auf das Kruzifix und schrie empört: »Mama, Mann Aua macht (er hat sich verletzt), helfen!«

Damit die Kinder behutsam an den Leidensweg Jesu herangeführt werden, wählen wir für den Ostergottesdienst mit kleineren Kindern eine nachösterliche Geschichte aus.

Entwurf A: Die Begegnung der Emmausjünger mit dem auferstandenen Jesus zeigt den Weg von der Furcht zur Freude. Aus traurigen Wanderern werden eilende Freudenboten. Jesus redet mit ihnen und setzt sich zu ihnen an den Tisch. Er teilt das Brot, sie sehen und erkennen ihn und werden froh.

Entwurf B: Die Erzählung vom ersten Osterei deutet ein Symbol, das eine gute Botschaft weitersagen will: Aus dem Dunkel kommt neues Leben.

**Anmerkung:**

*Wer das Thema »Verwandlung« bearbeiten möchte, sei auf den Gottesdienst »Küken, Raupe und Schmetterling« in dem Band »Komm in Gottes Schöpfungsgarten« verwiesen. Dies ist ein Gottesdienstentwurf zum Bilderbuch »Die Raupe Nimmersatt« von Eric Carle.*

# Das Osterbrot

*Gottesdienste zur Osterzeit (Lk 24, 13–39)*

## ■ Religionspädagogische Überlegungen

»Nichts wie weg«: Wenn eine Situation hoffnungslos ist, ist dieser Wunsch ein menschliches Grundverlangen. Die Kinder begreifen die Enge und Hoffnungslosigkeit, die die Menschen in Jerusalem beschlich. In trostlosen Zeiten braucht jeder Mensch einen Zuhörer, einen Begleiter. So auch die zwei Emmausjünger. Wenn jemand mitgeht, wird alles leichter.

»Alles wird wieder gut«: Dieses Hoffnungszeichen steckt in der Emmausgeschichte. Miteinander essen macht froh, das ist die Freude jeder Tischgemeinschaft. Kinder brauchen Brot zum Leben und Hände, die teilen.
Das gemeinsame Brotessen verscheucht die trüben Gedanken. Die zwei Jünger erkennen Jesus an seinen Zeichen: So hat der, um den wir trauern, das Dankgebet gesprochen. So hat der, dem wir vertrauten, mit uns das Brot geteilt. Daraus schöpfen sie Hoffnung und rennen elf Kilometer zurück, um es ihren Schwestern und Brüdern zu erzählen.

»Miteinander essen, das kann schön sein«, singen wir in einem Tischlied. Das älteste Zeichen, über das die Menschheit verfügt, tritt aus den Ostergeschichten hervor: miteinander Speise teilen. Wo Menschen miteinander essen, sind sie Brüder und Schwestern. Das versteht jedes Kind.
Wenn wir mit den Kindern in der Kirche das Brot teilen, bedeutet dies: Teilgeben an der Mahlgemeinschaft aller, die an Jesus glauben. Es ist viel über kindgerechte Abendmahlsformen diskutiert worden (s. Literatur S. 82). Auch dieses »Osterbrot teilen« ist eine solche Mahlfeier.

## Zur Darbietung und Gestaltung

### Zum Textverständnis

Lukas bietet innerhalb der Evangelien den einzigen Bericht, der zur Emmausgeschichte überliefert ist. Was will er sagen?

**1.** Lk 24,13 ff.
Es gibt enttäuschte Hoffnungen. Traurig sitzen die Freunde Jesu in Jerusalem. Zwei sagen: »So kann es nicht bleiben. Lasst uns nach Emmaus gehen.« Zwei brechen auf, um auf alten Wegen weiterzugehen.

**2.** Lk 24,14–27
Es gibt verzagte Menschen. Mutlos erzählen sich Kleopas und sein Freund, was gewesen war. Der Mitwanderer ist ein guter Zuhörer. Und dann erklärt er ihnen vieles. Doch sie kapieren nichts.

**3.** Lk 24,28–30
Es gibt noch Überraschungen. Der sich mit an den Tisch setzt, ist eigentlich bekannt. Am Dankgebet, an der Geste des Brotbrechens erkennen sie Jesus. Neue Hoffnung kehrt ein.

**4.** Lk 24,31–33
Freude beflügelt und macht Beine. Rasch eilen die Emmausjünger zurück. Elf Kilometer im Eiltempo. Alle anderen sollen es auch wissen: Jesus lebt.

**5.** Lk 24,34–35
»Jesus lebt, er ist auferstanden«: diese Botschaft wird um die Welt gehen. Zwei erzählen in Jerusalem davon und machen den traurigen Freunden Jesu Mut. Osterfreude breitet sich aus. Aus verzagten Menschen werden frohe Schwestern und Brüder. Wenn wir das Brot miteinander teilen, sagen wir: Jesus lebt. Alle Menschen sollen sich freuen.

Der Gottesdienstentwurf »Das Osterbrot« wird mit Erwachsenen gespielt: die Emmausjünger, etliche Jünger in Jerusalem, ein Erzähler. Es ist eine Nacherzählung: In Jerusalem berichten die Emmausjünger von ihrem Erlebnis. Das Erzählspiel hat seinen Höhepunkt im gemeinsamen Brotessen.

Der Gottesdienstentwurf »Das erste Osterei« beinhaltet die Erzählung von der ägyptischen Königin Katharina und Kaiser Maxentius, eine Überlieferung aus der Zeit der ersten Christen. Sie soll verdeutlichen, dass wir mit den bunten Ostereiern ein Hoffnungszeichen weiter schenken.

# Entwurf A: Das Osterbrot – eine Ostererzählung mit gemeinsamem Essen

*(Entwurf und Idee: Ev. Kirchengemeinde Altbach, Pfr. S. Liebau, U. Liebau, Familien Hofmann, Kandziora, Luh, Waschler, Zilinski)*

**Intention:**
Gemeinschaft erleben, miteinander das Brot teilen. Weil Jesus uns miteinander verbindet, entsteht neues Vertrauen.

**Vorbereitungen:**
Für das Anspiel werden Tücher zum Umhängen benötigt.
Zur Einführung wird eine Umhängetasche mit einem Brot gebraucht. Bei den Aktionen werden verschiedene Brotformen benötigt, die jedoch aus demselben Teig hergestellt werden können (Rezept Seite 80).
Aktion I: Für jede Familie wird ein Hefebrötchen gebacken.
Aktion II: Großer Brotlaib aus Minibrötchen zum Austeilen.

**Liturgischer Ablauf:**
Vorspiel
Begrüßung
Lied: »Wir wollen alle fröhlich sein« (EG 100,1+4+5; GL 223,1+4+5)
Gebet: »Die ganze Welt, Herr Jesu Christ« (Seite 79)
Einleitung: (siehe Erzählung, Seite 74)
Aktion I (Seite 74)
Lied: »Alle guten Gaben« (EG 463; KG 140; LJ 269)
Erzählung/Anspiel (Seite 75)
Aktion II (Seite 76)
Liedwiederholung: »Alle guten Gaben« (EG 463; KG 140; LJ 269)
Gebet: »Kommt, macht mit« (Seite 79)
Vaterunser
Lied: »Du hast uns, Herr, gerufen« (EG 168,4; GL 505,4; LJ 112,4)
Segen

# Entwurf B: Wie das Osterei entstand – Ein Gottesdienst mit bunten Ostereiern

*(Entwurf und Idee: Alma Grüßhaber)*

**Intention:** Das Ei als Ostersymbol entdecken.

**Vorbereitungen:**
Einen großen Osterstrauß im Raum aufstellen (Seite 74).
Für jedes Kind ein gefärbtes Osterei vorbereiten (Anleitung: Seite 81).
Für eine Bastelaktion Maltische bereitstellen (Vorlage »Osterei«: Seite 81).
Zur Erzählung ein großes braunes Ei und ein Tuch bereitlegen, eventuell auch eine kleine gelbe Stoffente.

**Liturgischer Ablauf:**
Begrüßung
Lied: »Wir sagen guten Morgen« (Seite 77)
Gebet: »Kommt, macht mit« (Seite 79)
Einführung: »Gespräch über den Osterstrauß« ( Seite 74)
Osterruf: »Christ ist erstanden« (EG 99; GL 213; LJ 76)
Erzählung: »Wie das Ei zum Osterei wurde« (Seite 76)
Osterruf: Christ ist erstanden ... (EG 99; GL 213; LJ 76)
Bastelaktion: Ein Osterbild gestalten ( Anleitung: Seite 80)
Lied: »Lasst uns alle froh sein: Jesus lebt« (Seite 78)
Gebet: »Die ganze Welt, Herr Jesu Christ« (Seite 79)
Vaterunser und Segen – *(Beim Auszug bekommt jedes Kind ein buntes Osterei.)*

# Bausteine zum Gottesdienst

Der einladende Raum

## Gespräch über den Osterstrauß

*(Einen großen Osterstrauß aufstellen: Forsythienzweige, Palmkätzchen, Tulpen, Osterglocken, viele bunte Ostereier.)*

Heute sehen wir viele bunte Eier. Wisst ihr, zu welchem Fest sie gehören?
Der Strauß hat mancherlei Blüten und auch Blumen. Ich sehe das Weidenkätzchen *(einen Zweig zeigen)*. Seht ihr, wie die Kätzchen silbern glänzen? Man nennt diese Zweige auch »Palmzweige«. Sie werden (in katholischen Gemeinden) bei der Palmprozession verwendet, die an den Einzug Jesu in Jerusalem erinnert.
Dann entdecke ich eine gelbe Glockenblume. Sie hat auch einen bestimmten Namen: Osterglocke oder Narzisse. Auch einige Tulpen sind zu sehen. Und dann viele Zweige, die schon kleine gelbe Blüten tragen. Das ist die Forsythie. Der bunte Strauß sagt uns: Es ist Frühling. Und die schönen Ostereier sagen uns: Es ist Ostern.
An Ostern erzählen wir uns jedes Jahr bestimmte Geschichten von Jesus. Wir hören, wie er mit seinen Freunden zusammen das letzte Mahl gehalten hat. Wir hören von der Zeit, in der er leiden musste. Wir denken an sein Kreuz, das er tragen musste. In jeder Kirche erinnert uns das Kreuz an Jesu Tod.
*(Hier das jeweilige Kruzifix im Kirchenraum erläutern.)*

Es erinnert uns aber auch an den Jesus, der auferstanden ist.
Warum schenken wir uns bunte Eier? Zu Hause habt ihr sicher schon welche gemalt und gefärbt. Wir hören heute eine Geschichte dazu. Vorher singen wir ein Lied: »Christ ist erstanden« *(s. liturgischer Ablauf S. 73)*.

## Das Osterbrot

### *Einleitung*

Heute erzähle ich euch von Jesus und seinen Freunden. Außerdem habe ich etwas in der Tasche. *(Auf die Umhängetasche klopfen.)*
Es ist etwas zum Essen. Es gehört zu den Speisen, die Jesus oft gegessen hat. Was kann es sein?
*(Kinder raten lassen, dann das Brot herausholen und so halten, dass es alle sehen.)*

Jesus war mit seinen Freunden viel unterwegs. Man ging fast alle Wege zu Fuß. Da es noch keine Fahrzeuge gab, gingen Jesus und seine Freunde oft einen ganzen Tag lang, wenn sie in eine andere Stadt wollten. Dabei wurden sie müde und hungrig. Dann machten sie eine Pause und freuten sich auf das Brot, das sie dabei hatten. Sie setzten sich zusammen auf den Boden, Jesus nahm das Brot und dankte Gott dafür. Dann brach er jedem ein Stück davon ab. Wie schön war es, gemeinsam zu essen.
Manchmal war aber auch nur wenig Brot da. Dann dankte Jesus trotzdem für das Wenige und brach für jeden ein Stückchen ab. Sie aßen ganz langsam, und das kleine Stück Brot machte alle stark.

### *Aktion I*

Für jede Familie gibt es ein kleines Brot. Dies wird von Mitarbeiterinnen und Mitarbeitern ausgeteilt; und nach dem Tischkanon (»Alle guten Gaben«) wird probiert, wie das Brot riecht, wie es schmeckt.

**Erzählung/Anspiel**

*(Einige Jünger sitzen traurig auf dem Boden.)*

Erzähler: Brot ist ganz wichtig in der Geschichte, die wir jetzt sehen und hören. Hier sitzen die Freunde Jesu. Sie gehören in die Geschichte.
Jesu Freunde aßen so gerne zusammen mit Jesus. Doch seht, sie sind ganz traurig. Jesus ist nicht mehr da. Böse Menschen haben ihn weggeholt. Drei Tage ist es schon her, dass er am Kreuz sterben musste. Die Freunde trauern. Sie sind ratlos. Sie wissen nicht, was sie tun sollen ohne Jesus. Auf einmal steht einer von ihnen auf.

Kleopas: Ich halte es in diesem engen Zimmer nicht mehr aus. Ich muss weg. Ich gehe nach Emmaus. Wer kommt von euch mit?

Jonas: Ich geh mit dir. Ich will auch hier weggehen.
*(Beide verlassen den Raum.)*

Erzähler: Traurig bleiben die anderen zurück. Sie sprechen nur wenig miteinander. Einige Stunden vergehen. Es ist mitten in der Nacht. Plötzlich klopft es laut an das Tor.
Vorsichtig öffnet einer das Tor. Die beiden, die nach Emmaus gegangen sind, stürzen herein.

Kleopas: Kommt heraus. Verschließt euch nicht länger traurig in einer Ecke des Hauses! Freut euch! Wir haben Jesus gesehen! Er lebt.
*(Die sitzenden Jünger stehen langsam auf und blicken überrascht.)*

Ein Jünger: Was? Wen habt ihr gesehen? Erzählt noch einmal!

Kleopas: Also, wir sind losgegangen. Nach einer Weile sagte ich zu Jonas: »Du, wir haben gar nichts zu essen dabei. Nicht ein einziges Stück Brot haben wir eingepackt.« Jonas meinte: »Als Jesus bei uns war, haben wir oft eine Pause gemacht, er hat mit uns geredet und wir teilten, was wir hatten. Und jetzt soll dies alles nicht mehr sein!« Traurig gingen wir so miteinander auf der staubigen Straße weiter.

Jonas: Wir haben noch einmal darüber gesprochen, wie früher alles war, als Jesus noch da war. Plötzlich kam ein anderer Wanderer zu uns. Er fragte, ob er mit uns gehen könne. »Worüber redet ihr denn?«, fragte er. Dann haben wir ihm alles erzählt: unsere Sorgen und die Angst, was aus uns wird, weil Jesus nicht mehr da ist. Er hat uns zugehört. Er hat uns Dinge erklärt. Er ist bei uns geblieben.

Kleopas: Schließlich kamen wir in Emmaus an. Wir wollten ins Gasthaus »Zum Stern«, denn wir hatten Hunger und brauchten ein Bett für die Nacht. Der Fremde war immer noch bei uns. Wir fragten ihn: »Willst du mit uns kommen?« Und er setzte sich mit uns an den Tisch. Und als wir aßen, nahm er ein Stück Brot, dankte Gott dafür und brach für jeden ein Stück ab. Jonas und ich schauten uns an. »Der macht es, wie unser Jesus es immer getan hat«, dachten wir beide. Und dann merkten wir endlich: Es ist Jesus selbst, Jesus ist da.

Ein Jünger: Und habt ihr ihn mitgebracht?

Kleopas: Nein – er hat sich uns gezeigt, und dann sind wir gleich nach Jerusalem zurück gerannt. Keiner von euch muss mehr Angst haben. Jesus lebt.

Erzähler: Als die Freunde Jesu das hören, sind sie nicht mehr traurig. Immer, wenn sie nun zusammen essen und das Brot teilen, denken sie an Jesus. Auch wir teilen jetzt miteinander das große Brot, das auf dem Altar liegt. Weil wir viele Menschen sind, braucht dies etwas länger. Keiner wird hungern, es reicht für alle.

***Aktion II***

Wir teilen nun das Brot und denken dabei an Jesus.
*(Jede Familie schickt ein Kind zum Altar, das ein Minibrötchen vom großen Laib abbricht.)*

## Wie das Ei zum Osterei wurde

Vor langer Zeit lebte in der Hauptstadt Alexandrien in Ägypten die kluge Königstochter Katharina. Sie hatte von Jesus gehört, ließ sich taufen und gehörte zu den Christen. Oft trafen sich die Menschen, die an Jesus glaubten, in ihrem Haus. Sie beteten miteinander, brachten Speisen mit und aßen gemeinsam.
Eines Tages kam der große Herrscher der Römer, Kaiser Maxentius, in die Stadt. Er wollte alles besitzen. Alle hohen Leute mussten zu ihm kommen, ihm Geschenke bringen und ihn als Gott anbeten. Katharina aber ging nicht in den Palast. Da ließ er sie holen.
Mit einem jungen Mädchen namens Ruth ging sie vor den Kaiser. »Du bist Christin?«, fragte er sie, und sie bejahte dies. »Erzähle mir von deinem Gott«, forderte er sie auf. Da erzählte sie dem großen Kaiser Maxentius alle Geschichten, die sie von Jesus wusste. Erhaben hörte er zu. Als Katharina jedoch erzählte, dass Jesus am Kreuz gestorben und in ein Grab gelegt und am dritten Tag wieder auferstanden sei, schüttelte er seinen Kopf: »Nie und nimmer kann das wahr sein, dass jemand stirbt und dann wiederkommt. Ich kann nicht glauben, dass dieser Jesus auferstanden ist. Du bist doch eine kluge Frau, Katharina, wie kannst du so etwas sagen!«
»Wir haben ihn gesehen. Er hat den Tod besiegt. Bevor er von uns ging, hat er uns die große Aufgabe gegeben, dass wir allen Menschen von ihm erzählen«, sagte Katharina leise. »Geh weg von mir«, befahl da der Kaiser. »Ich kann dir erst glauben, wenn du aus einem Stein Leben erwecken kannst.«
Traurig ging Katharina heim.
Ruth, das junge Mädchen, ging mit ihr. Sie sagte: »Komm, sei wieder fröhlich, Katharina. Auch wenn wir die Aufgabe des Kaisers nicht lösen können, er hat uns in Ruhe gehen lassen.« Zu Hause angekommen, dachten alle Freunde mit Katharina über diese schwere Aufgabe nach. Keiner wusste eine Lösung. Katharina überlegte Tag und Nacht, wie sie die Frage des Kaisers lösen könnte. »Aus einem harten Stein etwas Lebendiges hervorbringen«, murmelte sie immer wieder.
*(Hier unterbrechen und die Kinder nach einer möglichen Lösung fragen.)*
Es war inzwischen Frühling geworden. Die Sonne schien, Blumen blühten. Eines Tages kam Ruth angerannt, um Katharina etwas zu zeigen. »Komm mit mir zum Schilf, Katharina, dort unten am Wasser muss ich dir etwas

Schönes zeigen«, rief Ruth. Beide machten sich auf den Weg. Ruth hatte mitten im Schilf ein Nest entdeckt. Eine Ente hatte sieben braune Eier hineingelegt. Eines war zerbrochen, ein kleines Entlein war herausgekrochen. »Neues Leben«, sagte Ruth. Katharina staunte. Sie wurde ganz aufgeregt. »Das ist es«, flüsterte sie. Sie bat Ruth um ein Stück Tuch. Vorsichtig nahm sie ein braunes Ei aus dem Nest. »Was tust du, Katharina?«, fragte Ruth. Katharina nahm das Ei vorsichtig in die Hand. Sie spürte, wie es darin pochte und wie sich etwas bewegte. Dann legte sie das Tuch um das Ei. »Ich muss rasch zum Kaiser«, sagte Katharina und ging davon.
Katharina eilte zum Palast, vorbei an den Wachen. Der Kaiser Maxentius schaute sie unwillig an. »Hoher Kaiser, vor deinen Augen soll sich das Wunder ereignen, das du von mir verlangt hast«, sagte Katharina, und zeigte dem Kaiser das braune Ei. Genau in diesem Augenblick begann das Entenküken von innen zu pochen und zu picken. Ein Stück Schale flog auf den Boden. Aufmerksam schaute der Kaiser zu, wie sich das Tier nach und nach befreite. »Neues Leben«, sagte Katharina.
Lange schwieg der Kaiser. Es war zwar kein Stein gewesen, der ihm gezeigt wurde. Das hatte er gleich gemerkt. Aber der mächtige Kaiser hatte doch begriffen, was vor seinen Augen geschehen war. »Aus dem scheinbar toten Ei kam neues Leben«, sagte er nachdenklich.
Später setzte Katharina das Küken wieder zu seiner Familie ins Nest. Seit dieser Zeit ist das Ei zum Osterei geworden. Wenn wir uns Eier schenken, sagen wir damit: Hier ist neues Leben. Jesus ist auferstanden, freut euch alle!

*(Nacherzählt von Alma Grüßhaber, aus dem Buch »Wie aus dem Ei das Osterei wurde« von W. Fährmann und P. König, Echter Verlag, 1990 - vergriffen. Inzwischen abgedruckt in: W. Fährmann, »Wie sieht Gott eigentlich aus«, Arena Verlag, 2001)*

## Wir sagen guten Morgen

*Lieder, Bewegung, Tänze*

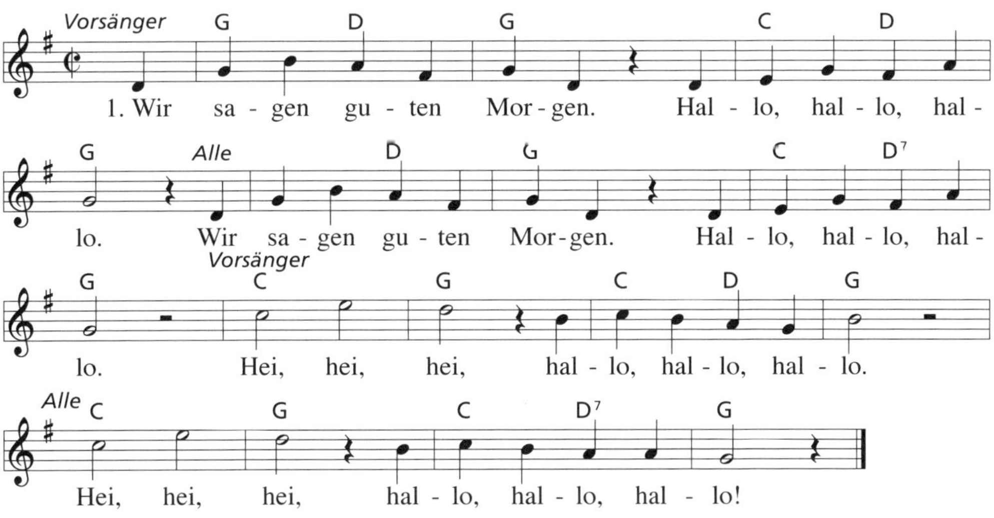


2. Wir grüßen unsern Nachbarn, hallo ...
3. Wir klatschen in die Hände, hallo ...
4. Wir singen frohe Lieder, hallo ...
5. Wir singen laut und leise, hallo ...
6. Wir schaun uns in die Augen, hallo ...

▶

7. Wir kitzeln unsern Nachbarn, und unsre Nachbarin ...
8. Bist du ein wenig schüchtern, das macht mir gar nichts aus ...
9. Wir reichen uns die Hände, hallo ...

Weitere Versmöglichkeiten zu diesem Lied: Wir stehen auf und hüpfen ... Wir drehn uns auf der Stelle ... Wir tanzen froh und heiter ... Der Tanz ist nun zu Ende ... Nun gönnen wir uns Ruhe ... Wir singen leise weiter ... Wir brüllen wie die Löwen ... Wir brummen wie die Bären ... usw.
Für »Wir sagen guten Morgen« kann natürlich auch »Wir sagen guten Abend« gesungen werden, und wenn weder Morgen noch Abend ist, wird einfach »Wir sind jetzt hier zusammen« gesungen.

Text und Melodie: Thomas Knodel, Rechte beim Autor

## Lasst uns alle froh sein: Jesus lebt

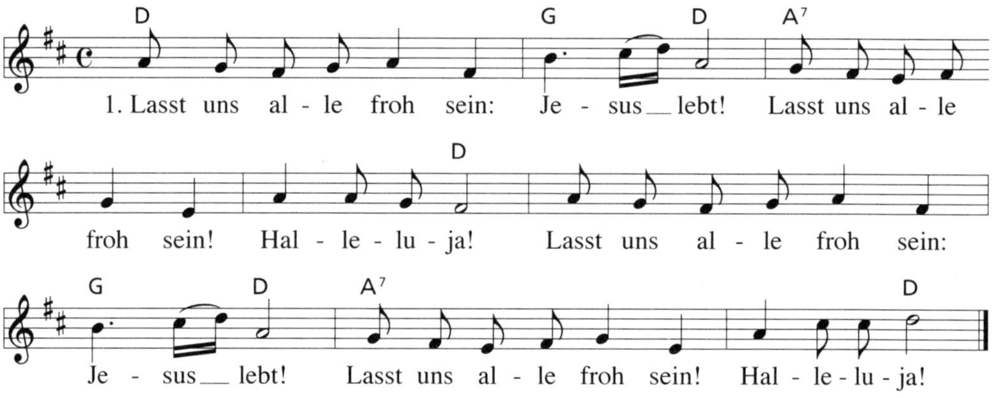


2. Lasst uns alle singen ...
3. Lasst uns alle klatschen ...
4. Lasst uns alle tanzen ...
5. Lasst uns alle hüpfen ...

Weitere Versmöglichkeiten kann man sich ausdenken.

Text und Melodie: Manfred Bauer; aus: »Herr, du bist mein Freund«. 

## Freut euch, freut euch! Ostern ist da

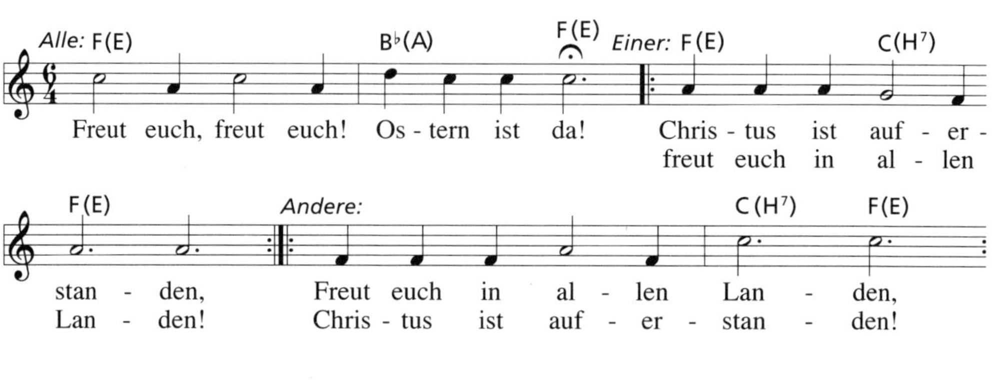




Text und Melodie: Christa Linke, aus: Linke, »Lieder für uns«, 

## Osterprozession

Die Kinder stehen vor dem Kindergottesdienstraum. Im Raum ist es dunkel. Die Tür geht auf. Eine Mitarbeiterin kommt heraus. Sie trägt eine brennende Kerze in den Händen. Die Mitarbeiterin ruft den Kindern zu: »Christus ist auferstanden«. Alle singen nun: »Freut euch, freut euch! Ostern ist da!« Singend ziehen die Kinder in den noch dunklen Raum ein. Die Gruppe läuft im Raum umher. Nach und nach werden weitere Kerzen angezündet.
Die erste Zeile kann mehrmals gesungen und nach der 2. bzw. 3. Zeile eingefügt werden. Auch ein Wechselgesang zwischen der Mitarbeiterin, die mit der Kerze aus dem Raum kommt, und den Kindern ist möglich.

Gestaltungsidee aus: Manfred Hilkert, Susanne Günther, »Hört ihr Noahs Hammerschläge? 62 Lieder zum Singen, Tanzen und Gestalten für Kinder ab 4 Jahren«, © Verlag Ernst Kaufmann, Lahr

## Weitere Lieder

»Wir wollen alle fröhlich sein« (EG 100,1+4+5; GL 223,1+4+5)
»Du hast uns, Herr, gerufen« (EG 168,4; GL 505;4; LJ 112,4)
»Alle guten Gaben« (EG 463; KG 140; LJ 269) oder ein anderer Tischkanon
»Christ ist erstanden« (EG 99; GL 213; LJ 76)
»Miteinander essen, das kann schön sein« (LJ 599)
»Alles, was wir haben« (SL 52)
»Geh mit uns« (EH 62; SL 242)
»Zu Ostern in Jerusalem« (KG 74; LJ 340; MKL 119; SL 140)

*Rituale und Gebete*

## Die ganze Welt, Herr Jesu Christ

Die ganze Welt, Herr Jesu Christ,
zur Osterzeit jetzt fröhlich ist.
Jetzt grünet, was nur grünen kann,
die Bäum zu blühen fangen an.
Es singen jetzt die Vögel all.
Jetzt singt und klingt die Nachtigall.
Der Sonnenschein jetzt kommt herein
und gibt der Welt ein neuen Schein.
Die ganze Welt, Herr Jesus Christ,
zur Osterzeit jetzt fröhlich ist. *(Friedrich von Spee)*

## Kommt, macht mit!

Alle: Kommt, macht mit!
Wir wollen fröhlich sein, Halleluja!

Eine/r: Wir sind dankbar
und loben dich mit Worten und mit Musik:
Du bist unser Gott, größer als alles, was lebt.

Alle: Kommt, macht mit!
Wir wollen fröhlich sein, Halleluja!

Eine/r: Wo wir auch sind, auf dem höchsten Berg oder im Tal,
auf dem weiten Meer oder an Land:
Wir sind in deiner Hand.

Alle: Kommt, macht mit!
Wir wollen fröhlich sein, Halleluja!

Eine/r: Wir gehören zu dir.
Wir sind dein Volk.

Alle: Kommt, macht mit!
Wir wollen fröhlich sein, Halleluja!

Eine/r: Wir sind geborgen in deiner Hand.
Du bist unser Gott, größer als alles, was lebt.

Alle: Kommt, macht mit!
Wir wollen fröhlich sein, Halleluja!

*(Text: Gottfried Mohr Rechte beim Autor)*

## Lieber Gott, an Ostern freuen wir uns

Lieber Gott,
an Ostern freuen wir uns.
Angst und Traurigkeit müssen schweigen.
Lieber Jesus,
du bist der Starke, der bei uns ist.
Wir freuen uns, dass das Dunkel und das Böse besiegt ist.
Wir freuen uns, dass du jeden Tag mit uns gehst, auch heute.

*(Alma Grüßhaber)*

*Spiele, Basteln Kreatives*

## Rezept für Hefebrötchen

**Zutaten:**

500 g Mehl, 30 g Hefe, 1/4 l Milch, 1 Teel. Salz, 1 Prise Zucker, 1 Eigelb, eventuell Sesam-, Mohn- oder Sonnenblumenkerne zum Bestreuen

**Herstellung:**

Größere Brötchen: Einen Hefeteig zubereiten, 20 kleine Brötchen formen und auf ein gefettetes Backblech legen, zugedeckt noch einmal 20 Minuten gehen lassen, mit Eigelb bestreichen, eventuell mit Körnern bestreuen.
Minibrötchen zum Abbrechen:
500 g Mehl ergeben ca. 40 Minis.
Die Brötchen werden auf dem Blech dicht aneinander gelegt (kreisförmig)

## Osterbild

**Material:**

Pro Kind einen Karton DIN A 4,
Farbstifte, Kleister,
verschiedene Samenkörner
(z.B. Sonnenblumenkerne, Kresse- oder Radieschensamen)

**Herstellung:**

Tische oder den Boden mit Folie abdecken.
Für jedes Kind einen Karton vorbereiten. Eine Trennungslinie mit Filzstift aufzeichnen, damit die Kinder ein Bild gestalten, das »oben« und »unten« zeigt, z.B.: eine Wiese mit Blumen und Bäumen. Tief in der Erde sieht man die Samenkörner. Diese »Höhlen« streichen wir mit Kleister ein und legen unsere Samenkörner darauf. Wir zeigen aber auch, was aus Samen wachsen kann: bunte Blumen, Sträucher, Bäume. Und natürlich gehört die Sonne dazu.
Tipp: Wer möchte, kann die Samenhöhlen zu Hause mit Erde bestreuen und immer wieder mit Wasser betupfen. Natürlich muss man das Bild in die Sonne legen. Daraus wird neues Leben entstehen.
Achtung: Den Heim-Transport müssen die Eltern übernehmen.

## Kressenestchen

**Material:**

Pro Kind ein Topfuntersetzer aus Ton oder Plastik, eine kleine Tüte zum Transportieren.
Watte oder Vlies und Kresse- oder Grassamen, etliche Wäschebesprüher mit Wasser.

**Herstellung:**

Zuerst legen die Kinder ihren Untersetzer mit Watte oder Vlies aus. Dann werden die Samenkörner darauf gestreut. Zum Schluss mit etwas Wasser befeuchten. Daheim in die Sonne stellen. Nach 4–5 Tagen wächst junges Grün und in diese kleine Insel kann ein Osterei gelegt werden. Außerdem schmeckt Kresse herrlich zu Salat oder auf einem Butterbrot.

## Bunte Ostereier

**Material:**

Pro Kind ein gekochtes Osterei,
einen Pappring als Eierständer (kann aus leeren Klopapierrollen hergestellt werden),
einen Joghurtbecher zum Transport,
Küchenkrepp. Seidenpapierreste und Geschenkpapierabfälle.
Eine Wasserstelle sollte in erreichbarer Nähe sein.

**Vorbereitung:**

Tische abdecken.
Malkittel für die Kinder bereitlegen, ebenso Kleister und farbiges Papier.

**Herstellung:**

Die Kinder suchen sich ein Stück Papier aus (etwa DIN A 4-Größe), reißen kleine Eckchen ab. Dann erst werden die Eier mit Kleister betupft und die Seidenpapierschnipsel angedrückt. Immer eine dünne Schicht Papier auflegen und glattstreichen, mit kleinen Stücken arbeiten.
Kleine Kinder können die Tupftechnik anwenden: bunte Papierschnipsel vorsichtig in Kleister tauchen und das Ei damit betupfen.
Achtung: Die Färbetechniken sind »Schmierarbeiten«, deshalb genügend Küchenkrepp zum Hände Abwischen bereitlegen. Die Trockenzeit (ca. 1 Tag) mit den Kindern besprechen.
*Tipp:* Mit größeren Kindern können auch ausgeblasene Eier dafür verwendet werden.

## Bunte Ostereier als Fensterschmuck

**Material:**

Karton oder Tonpapier, weißen Faden, Farbstifte oder Wachsmalstifte, Scheren und Klebstoff

**Herstellung:**

Eier in zwei oder drei Größen als Schablonen vorbereiten (Vorlage rechts entsprechend vergrößern, z.B. auf 10, 12 und 15 cm).
Größere Kinder können sich die Vorlagen selbst vorbereiten. Pro Kind werden je sechs ausgeschnittene Eier gebraucht.

Zuerst die Eierformen ausschneiden, immer zwei brauchen dieselbe Größe. Die Eier gleicher Größe nebeneinander legen. Mit einem Tupfer Klebstoff den Faden aufkleben, ca. 20 cm zum Aufhängen frei lassen. Dann wird die andere Eihälfte über den Faden geklebt. Nun kann das Bemalen beginnen.
*Tipp:* Diese Bastelarbeit gelingt auch ganz kleinen Kindern und braucht nicht allzuviel Zeit. U. U. können die »Gehänge« auch schon vorab vorbereitet werden.

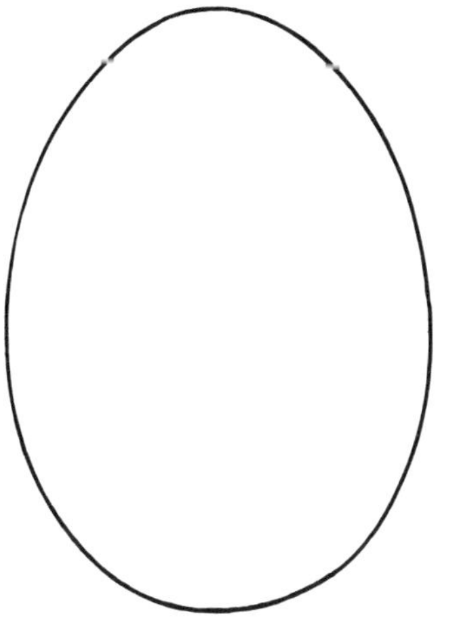

## Literatur

Beate Brielmaier, Max und Sarah entdecken das Kirchenjahr, Verlag Katholisches Bibelwerk, Stuttgart 2001

Willi Fährmann, P. König, Wie aus dem Ei das Osterei wurde, Echter-Verlag, Würzburg 1990 (vergriffen)

Willi Fährmann, Wie sieht Gott eigentlich aus?, Wunderbare Geschichten zum Erzählen und Vorlesen, Arena-Verlag, Würzburg 2001

Kees de Kort, Bibelbilderbuch, Band 4, Deutsche Bibelgesellschaft, Stuttgart

Werner Laubi, Die Sonnenhauskinder, Ein Osterkalender mit 17 Geschichten und einem Poster, Verlag Ernst Kaufmann, Lahr 2001

Renate Lüber (Hg.), Wir feiern Ostern, Reihe: Bücher für Kinder, Verlag Ernst Kaufmann, Lahr 1996

Gottfried Mohr, Andreas Weidle (Hg), Komm wir feiern ..., Eine Hinführung zum Abendmahl – vor allem für Kinder, Verlag Der Jugendfreund, Leinfelden-Echterdingen 1999

Andrea Moritz, Die Osterzeit Kindern erklärt, Gütersloher Verlagshaus, Gütersloh 2001

Georg Ottmar, Mit Kindern Taufe und Abendmahl feiern, Gütersloher Verlagshaus, Gütersloh 1998

Cordula Pertler, Eva Reuys, Kinder feiern Ostern, Reihe: Feste feiern mit Kindern, Don Bosco Verlag, München 2001

Werner Schindelin, Jutta Mirtschin, Ostern oder das Geheimnis des Lebens, Ein Osterkalender mit 22 Geschichten und einem Poster, Verlag Ernst Kaufmann, Lahr 1999

Regine Schindler, Ivan Gantschev, Der Ostermorgen, Patmos-Verlag, Düsseldorf 1996

R. Schneider, W. Schmidt, Jesus teilt das Brot, Eine Geschichte zum Abendmahl, Verlag Ernst Kaufmann, Lahr 1986 (vergriffen)

Dietrich Steinwede und Ingrid Ryssel (Hg.), Ostern – spielen und feiern, Kinder begleiten in Schule, Gemeinde und Familie, Gütersloher Verlagshaus, Gütersloh, 2.Auflage 2001

# Pfingsten

*Zum Thema*

## Dazu wollen wir anstiften

Schon bald bemerken Kinder, dass sie Gott nicht sehen können. Schließlich wohnt er im Himmel, auf den Wolken oder bei den Sternen. Er ist weit weg, und doch ist er ganz nah. Wie ist das möglich? Die jüdisch-christliche Tradition sieht sich einer ähnlichen Frage gegenüber: Wie wirkt der heilige Gott bei uns in den Menschen und in der Welt? Sie antwortet darauf mit Erzählungen über das Wirken des Geistes Gottes, der Leben schenkt und machtvoll wirkt. Um den Heiligen Geist und das Erscheinen Gottes zu beschreiben, werden Naturphänomene einbezogen: der Wind und das Feuer.

Auch zu den ersten Erfahrungen von kleinen Kindern gehört der Wind, bewegte Luft und der Atem. Sie spüren, wie der Wind ihre Haare bewegt, wie ein Herbststurm brausend den Atem stocken lässt, wie warm und wohltuend ein Sommerwind über Gesicht und Hände streicht. Kinder nehmen wahr, wenn sich die Blätter an den Bäumen bewegen, wenn Staub von der Straße oder den Feldern aufgewirbelt wird. An diese Erfahrungen knüpfen wir an, wenn wir vom »ruach« (hebr. »Geist«) erzählen, von Gottes Nähe, dem »Etwas«, was wir nicht fassen, nicht packen und nicht behalten können, das wir aber spüren und das uns umgibt.

## Theologische Überlegungen: Wie wir von Gott erzählen können

Das christliche Pfingstfest geht auf die umfangreiche Erzählung in der Apostelgeschichte zurück (Apg 2,1–42). Das Fest erinnert an die Ausgießung des Heiligen Geistes. Wir begehen es als Geburtstagsfest der Kirche.

Während die Jünger und Jüngerinnen Jesu beisammen sind, schenkt ihnen Gott seinen Geist. Sie treffen sich am jüdischen Wochenfest, 50 Tage nach Ostern. In einem Versammlungsraum in Jerusalem sind sie zusammen. Jesus ist nicht mehr unter ihnen. Er ist von Gott in den Himmel aufgenommen worden (Himmelfahrt).

Die Jünger und Jüngerinnen hören ein Windbrausen und sehen Feuerflammen. Sie beginnen feierlich in himmlischer Sprache zu reden. Sie verlassen ihren Versammlungsraum und verkünden den Festpilgern in Jerusalem die frohe Botschaft. Jeder versteht sie in der eigenen Sprache. Petrus hält eine missionarische Bußpredigt. Daraufhin lassen sich viele Zuhörer taufen.

Die biblische Erzählung bedient sich verschiedener Bilder, die den Geist Gottes anschaulich werden lassen: Gottes Erscheinen im Wind steht in enger Beziehung zu seinem Leben schenkenden Atem. In der Schöpfungsgeschichte (Genesis / 1 Mose 1+2) wird von Gottes lebenschaffendem »ruach« erzählt. Das nie verbrennende Feuer im Dornbusch (Exodus / 2 Mose 3) ist Zeichen göttlicher Heiligkeit.

— Pfingsten ist also ein Fest der Be-Geist-erung:
— Gottes Geist (be-)wirkt – Menschen erfahren seine Gegenwart.
— Gottes Geist öffnet die Ohren – Menschen hören und verstehen.
— Gottes Geist überwindet Grenzen – alle hören ihre Sprache.
— Gottes Geist setzt in Bewegung – die Jünger verlassen den sicheren Ort und gehen hinaus.

Davon wollen wir den Kindern aus der Pfingstgeschichte erzählen: vom Geist Gottes, der verändert und zu neuem Handeln befreit.

# Der Wind

*Gottesdienst zum Pfingstfest (Apostelgeschichte 2,1–4)*

## Religionspädagogische Überlegungen

Wind ist kraftvoll wie der Geist Gottes, aber der Geist Gottes ist nicht der Wind. Dies sollte beim Erzählen und Reden berücksichtigt werden. Darum wird das Sturmbrausen in der Pfingstgeschichte ein »besonderer Wind« genannt.

Vor allem Apg 2, 1–4 soll im Mittelpunkt stehen: das Erscheinen und die Wirkung des Gottesgeistes im Wind. Das Bild der Feuerzungen, die sich auf den Köpfen der Jünger niederlassen, wird nicht im Detail entfaltet. Es könnte für kleine Kinder bedrohlich wirken. Die Petruspredigt wird auf die Aussagen der Oster- und Himmelfahrtsbotschaft konzentriert: Jesus gehört zu Gott. Jesus ist bei Gott. – Das Erscheinen des Heiligen Geistes wird als frohmachende Erfahrung von Gottes Nähe erzählt: Gott ist da, oder: Es ist genauso, als wäre er da.

Die Kinder sollen wahrnehmen und hören:

— Gott ist nahe bei den Menschen.
— Die Menschen erfahren Gottes Kraft wie die Kraft des Windes.
— Gottes Geist und Gottes Gegenwart schenkt Freude.
— Gottes Geist bringt in Bewegung.

## Zur Darbietung und Gestaltung

Als »ruhiges« Element der Gestaltung ist das Legespiel mit dem Mobile gewählt. (Anleitung Seite 92) Belebend und bewegt ist der Pfingstwalzer (Seite 90), der von der Pfingstfreude erzählt und Groß und Klein in Schwung bringt.

# Der Wind - Ein Gottesdienst zum Pfingstfest mit Legespiel und Pfingstwalzer

*(Entwurf und Idee: Pfarrer M. Trugenberger; Pfingstwalzer: Text, Melodie und Gestaltungsidee: Siegfried Macht)*

**Intention:**

Die Freude über Gottes Gegenwart erleben und im Tanz nachvollziehen.

**Vorbereitungen:**

Raum dekorieren, Windrad, Mobile zur Erzählung, schwarzes und rotes Seidentuch, Osterkerze, Tanz einüben, Gitarre, Orffsche Instrumente, Stäbe mit bunten Bändern (Seite 92).

**Liturgischer Ablauf:**

Begrüßung
Lied: »Vom Aufgang der Sonne« (EG 456; KG 169; LJ 268; LzU 90; MKL 36; SL 38) mit Bewegungen (siehe in »Komm in Gottes Schöpfungsgarten«, dem ersten Band der Reihe »Materialien zur Gemeindearbeit«, Seite 40)
Gebet: «Wo ich gehe, wo ich stehe« (Seite 89)
Lied
Erzählung: »Das Pfingstereignis« (Seite 88)
Lied/Tanz: Pfingstwalzer »Wir sitzen zusammen« (Seite 90)
Gebet: »Ich freue mich, dass du bei mir bist« (Seite 89)
Schlusslied: »Gott, dein guter Segen« (KG 220; LJ 382; LzU 31; abgedruckt auch in »Komm in Gottes Schöpfungsgarten«, Seite 122)
Segensgebet: »Gott segne und behüte dich« (Seite 89)

## Bausteine für den Gottesdienst

### Der Kirchenraum

*Der einladende Raum*

Der Kirchenraum ist festlich dekoriert mit bunten Bändern, die sich im Wind bewegen. Junge Birkenzweige oder kleine Birken sind aufgestellt.

### Begrüßung

*(Falls keine persönliche Begrüßung beim Eintreten in den Gottesdienstraum möglich ist.)*

Hallo, liebe Kinder! Hallo, liebe Erwachsenen! Herzlich willkommen.
Wir feiern miteinander Gottesdienst. Wir beten miteinander, wir sprechen zu Gott. Wir singen Lieder, wir freuen uns an Gott. Und wir hören heute vom Geist Gottes.

### Einführung

Wir feiern heute das Pfingstfest. Es ist das Fest des Geistes Gottes, Gottes Heiliger Geist.
Unsere Kirche ist darum heute auch ganz besonders festlich geschmückt.
Seht die bunten Bänder. Ein leichter Luftzug bewegt sie.
Seht die Kerzen. Die Flammen flackern im Wind. Sie bewegen sich, wenn ich sie anpuste.
Auch du trägst Wind in dir. Puste gegen deine Hand. Du spürst den Wind.
Puste sacht. Puste kräftig. *(Kinder probieren es selbst aus.)*

Seht euch dieses Windrad an. Wenn ich puste, dreht es sich.
*(Windrad anpusten.)*

Seht das Tuch. Wenn ich es bewege, streicht ein Luftzug über deine Hand, über dein Gesicht. *(Zu den Kindern gehen und sie den Luftzug spüren lassen.)*
Heute erzähle ich euch eine Geschichte vom Geist Gottes, von Gottes Heiligem Geist. Er kommt wie ein Wind zu den Freunden von Jesus. Sie spüren ihn. Der Wind Gottes bewegt sie.

*Die Erzählung*

## Das Pfingstereignis

*(Die Freunde von Jesus sitzen zusammen in ihrem Haus. Sie essen und trinken miteinander. Sie beten miteinander.)*

Da ist die Mutter von Jesus, Maria. Auch seine Brüder sind dabei, und noch viele andere Freunde von Jesus sind da, Männer und Frauen.
*(Mobile mit Jüngerfiguren in die Mitte auf den Boden legen. Siehe Anleitung S. 92)*

Aber Jesus ist nicht bei ihnen. Er ist im Himmel bei Gott.
Oft denken sie an Jesus. Sie erzählen einander, was er getan und gesagt hat.
Sie sind froh, dass Jesus bei Gott ist.
Sie sind aber auch manchmal traurig, weil Jesus nicht mehr bei ihnen ist. Sie fühlen sich allein. Sie wünschen sich sehr, dass Jesus wieder bei ihnen ist.
*(Dunkles schwarzes Tuch um die Jünger legen.)*

Auf einmal tost und braust ein starker Wind, ein Sturm bricht los. Aber es ist kein gewöhnlicher Sturm. Der Sturm kommt von Gott vom Himmel. Er stößt die Fenster auf. Mal bläst er kräftig um ihre Ohren, mal streicht er sanft über ihr Gesicht. Der Wind bläst die Traurigkeit weg. Jetzt sind sie nicht mehr traurig. Es ist ein ganz besonderer Wind. Das können sie spüren.
*(Mit rotem Tuch Wind machen, schwarzes Tuch entfernen, rotes Tuch um die Jünger legen.)*

Das ganze Haus ist auch voll Feuer. Es ist ein ganz besonderes Feuer:
Das Feuer wärmt. Es leuchtet und ist hell, aber es brennt nicht.
Das können sie sehen.
*(Brennende Osterkerze in die Mitte stellen.)*

Da wissen sie: Gott ist ganz nah bei ihnen. Gott ist da.
*(Mobile hoch halten.)*

Gott ist in diesem Wind. »Wir sind nicht allein«, sagen sie zueinander.
Jetzt sind sie nicht mehr traurig. Jetzt freuen sie sich. Sie tanzen und singen.
*(Mobile über die Osterkerze halten, Mobilefiguren bewegen sich im warmen Aufwind.)*

Alle sollen sich mit ihnen freuen. Sie gehen hinaus aus ihrem Haus. Sie erzählen allen Leuten auf den Plätzen: »Freut euch, Gott ist da.«
*(Mit Mobile zu den Kindern im Kreis herum gehen.)*

*Melodie des Pfingstwalzers (Teil B) beginnt im Hintergrund zu klingen (z.B.: Gitarre, Orff'sche Instrumente oder Flöte).*

## Wo ich gehe, wo ich stehe

Wo ich gehe, wo ich stehe,
bist du, lieber Gott, bei mir,
wenn ich dich auch niemals sehe,
weiß ich dennoch, du bist hier.
*(Mündlich überliefert)*

## Ich freue mich, dass du bei mir bist

Guter Gott,
ich freue mich, dass du bei mir bist.
Wie den Wind kann ich dich spüren.
Wie den Wind kann ich dich hören.
Einmal ganz stark, einmal ganz schwach.
Aber immer bist du bei mir.
Von dir kommt neuer Mut, wenn ich ängstlich bin.
Von dir kommt neue Freude, wenn ich traurig bin.
Dafür danke ich dir.
*(Martin Trugenberger)*

## Komm, Geist Gottes

*(Nach LJ 720, Nr. 41 gesprochen in zwei Gruppen.)*

| | |
|---|---|
| Kinder: | Komm, Geist Gottes. |
| Erwachsene: | Wo du bist, regen alle die Hände zum Guten. |
| Kinder: | Komm, Geist Gottes. |
| Erwachsene: | Wo du bist, sind die Traurigen froh. |
| Kinder: | Komm, Geist Gottes. |
| Erwachsene: | Wo du bist, sieht man im anderen den Bruder und die Schwester. |
| Kinder: | Komm, Geist Gottes. |
| Erwachsene: | Verwandle den Tag. Wo du bist, da wird alles neu. |

## Gott segne und behüte dich

Gott segne und behüte dich.
Sein Licht leuchte dir auf deinen Wegen.
Sein Geist stärke dir den Rücken.
Gottes Friede sei mit dir.

*(Martin Trugenberger)*

## Pfingstwalzer

(Litaneiartig auf einem einzigen Ton, jede Zeile als Wechselgesang, eine(r) singt oder spricht vor, alle wiederholen.)

### Bewegungsanregung

*Grundform für Jüngere*

Zum A-Teil sitzen alle beieinander (Apg 1,14; 2,1) oder stehen bereits im großen Kreis.

Spätestens zum B-Teil (vgl. Apg 2,2 ff) stehen die Kinder auf, fassen sich mit gestreckten Armen im (nicht zu eng stehenden) Kreis und

— schwingen im Tempo der punktierten Halben seitlich hin und her: nach rechts – links – rechts links,
— gehen vier Schritte (re-li-re-li) vorwärts in die Kreismitte (dabei schwingen immer zwei Kinder als Paar ihre Innenhände erst zurück, dann vor, zurück und vor),
— schwingen im engen Kreis wieder seitlich hin und her,
— gehen vier Schritte zurück (und schwingen dabei die Innenhände wieder zurück und vor, zurück und vor).

*Für Ältere*

Wie oben, aber statt der normalen Gehschritte zur Mitte und zurück, jeweils drei kleine Walzerschritte.
Und/oder
— nach dem Seitwärts-Schwingen Fassung lösen,
— und viermal Drehung wie beim Wiener Walzer in die Mitte hinein,
— seitwärts schwingen,
— viermal Drehung wieder heraus.

Pfingstwalzer für Erwachsene (einzeln mit Kind auf dem Arm oder auch als Paartanz). Im Prinzip wie eben beschrieben, aber jetzt konsequent wie beim Wiener Walzer in Paarfassung und in der Bewegung nach und nach gegen die Singphasen verschoben und
— dreimal Wiegen: Links – rechts – links (quasi langsam, Schwung holend)
— viermal Walzerdrehung rechts herum: Re-li-re, Li-re-li, Re-li-re, Li-re-li
— dreimal Wiegen: Links – rechts – links
— viermal Walzerdrehung links herum: Li-re-li, Re-li-re; Li-re-li; Re-li-re

*Theologie des Walzers*

Falls sich angesichts des Walzers in der Kirche nun jemand entsetzt und spricht: »Was will das werden?« – so lesen wir Apg 2,12 ff und freuen uns, dass wir den Text so anschaulich umgesetzt haben: Kaum eine andere Bewegung als die des Walzers (die den Drehungen in vielen alten Kinderspielen entspricht) ist so geeignet, der Freude der Teilnehmenden nachzuspüren, die der Skepsis der Unbeteiligten wie Trunkenheit vorkommen muss.

*Familien-Quodlibet*

Die gesamte musikalische Struktur (Harmonien, Gitarrengriffe ...) entspricht jener des Pfingstliedes »Verschlossen die Fenster« (aus: Siegfried Macht, »Haus aus lebendigen Steinen«, Lieder für kleine und große Leute, Strube Verlag, München und Berlin, Werkbuch und Doppel-CD), so dass beide Lieder nicht nur nacheinander, sondern auch gemeinsam als Quodlibet gesungen und musiziert werden können.

*Tanzmusik*

Ideal ist das »m-ta-ta, m-ta-ta« einer gezupften Gitarre. Die Griffe sind relativ einfach und der 6/8-Takt der Notation entspricht jeweils zwei schnellen Walzertakten.

## Wind, Wind

2. Wind, der die Mühle dreht,
sacht durch die Blumen geht.
Wind, der den Sandsturm schafft;
welch eine Kraft!

3. Wind, der zu Pfingsten weht,
durch unsere Herzen geht.
Geist, der die Freude schafft:
welch eine Kraft!

4. Wind, der uns treibt wie Wind,
dass wir nun Boten sind.
Geist, der Gemeinde schafft:
welch eine Kraft!

## Weitere Lieder

»Vom Aufgang der Sonne« (EG 456; KG 169; LJ 268; LzU 90; MKL 36; SL 38) mit Bewegungen
»Gott, dein guter Segen« (KG 220; LJ 382; LzU 31; abgedruckt auch in »Komm in Gottes Schöpfungsgarten«, dem ersten Band der Reihe »Materialien zur Gemeindearbeit«, S. 122)
»Am hellen Tag kam Jesu Geist« (LJ 342; MKL 114)
»Bist du ein Haus aus dicken Steinen?« (KG 154; LJ 480)
»Der Himmel geht über allen auf« (EH 113;LJ 364; MKL 7; SL 197)

*Spiele, Basteln Kreatives*

## Mobile mit Figuren

**Material:**

Fotokarton in verschiedenen Farben,
Perlonfaden,
Schaschlikstäbchen oder Mobiledraht

**Werkzeug:**

Bleistift, Schere, Nadel

**Herstellung:**

Die Figuren nach Schablone (Seite 94) ausschneiden. Den Perlonfaden anbringen.
Die Figuren in verschiedenen Höhen anbringen, darauf achten, dass das Mobile »schweben« kann. Da das Mobile »gelegt« und »bewegt« werden soll, das Format auf vier bis sechs Figuren beschränken, damit beim Aufheben sich die Fäden nicht verheddern.

## Stäbe mit bunten Bändern

**Material:**

Entsprechend der Besucherzahl einen Laternenstab,
Krepppapier in verschiedenen Farben - jeweils ein bis zwei Rollen

**Werkzeug:**

Scheren, Klebstoff, Schnur oder Geschenkband

**Herstellung:**

Aus dem Krepppapier 1,5–2 cm breite Streifen schneiden, diese auf 15–20 cm Länge zuschneiden. Sechs bis acht Bänder an einem Stab mit Schnur oder Geschenkband befestigen.
Es kann mit verschiedenfarbigen Bändern gearbeitet werden oder jeder Stab in einer Farbe gestaltet sein. Eignet sich zum Mitgeben, z. B. beim Ausziehen aus der Kirche.

## Windspirale

**Material:**

Tonpapier oder Kopierpapier, Farben je nach Wahl

**Werkzeug:**

Schere, Bleistift, Faden, Nadel

**Herstellung:**

Die Spirale nach der Vorlage (Seite 94) ausschneiden. An einem Ende den Faden zum Aufhängen anbringen.
Wenn die Spirale frei hängt, bewegt sie sich, je nach Windhauch.
Ergänzung. Wer will, kann vorab auf die Spirale einen Liedvers aufdrucken.

## Windrad

**Material:**

Tonpapier, 15 x 15 cm, in verschiedenen Farben,
Perlen, Blumendraht und Laternenstäbe, auf ca. 30 cm Länge zugeschnitten

**Werkzeug:**

Schere, Bleistift

**Herstellung:**

Das Blatt zweimal diagonal falten. Jeweils an einem Falz 6–8 cm einschneiden. Die vier Enden zur Mitte einschlagen (siehe Zeichnung unten).
Eine Perle auf ein Stück Blumendraht fädeln, diese befestigen und durch die Papierschlaufen ziehen. An der Rückseite wieder eine Perle anbringen (vgl Abb rechts). Dann das Drahtstück um ein Stabende wickeln. Nun kann gepustet werden.

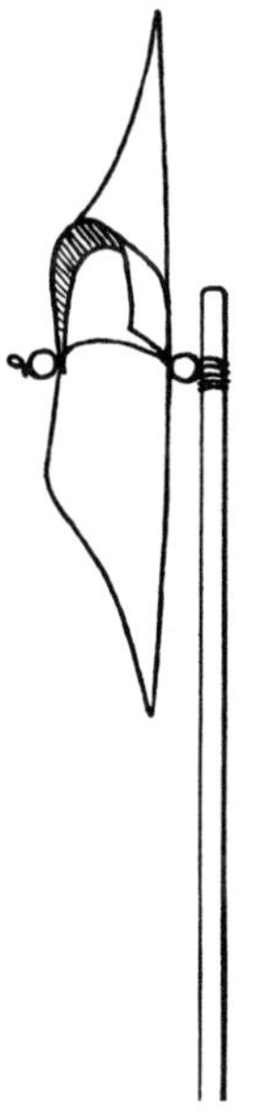

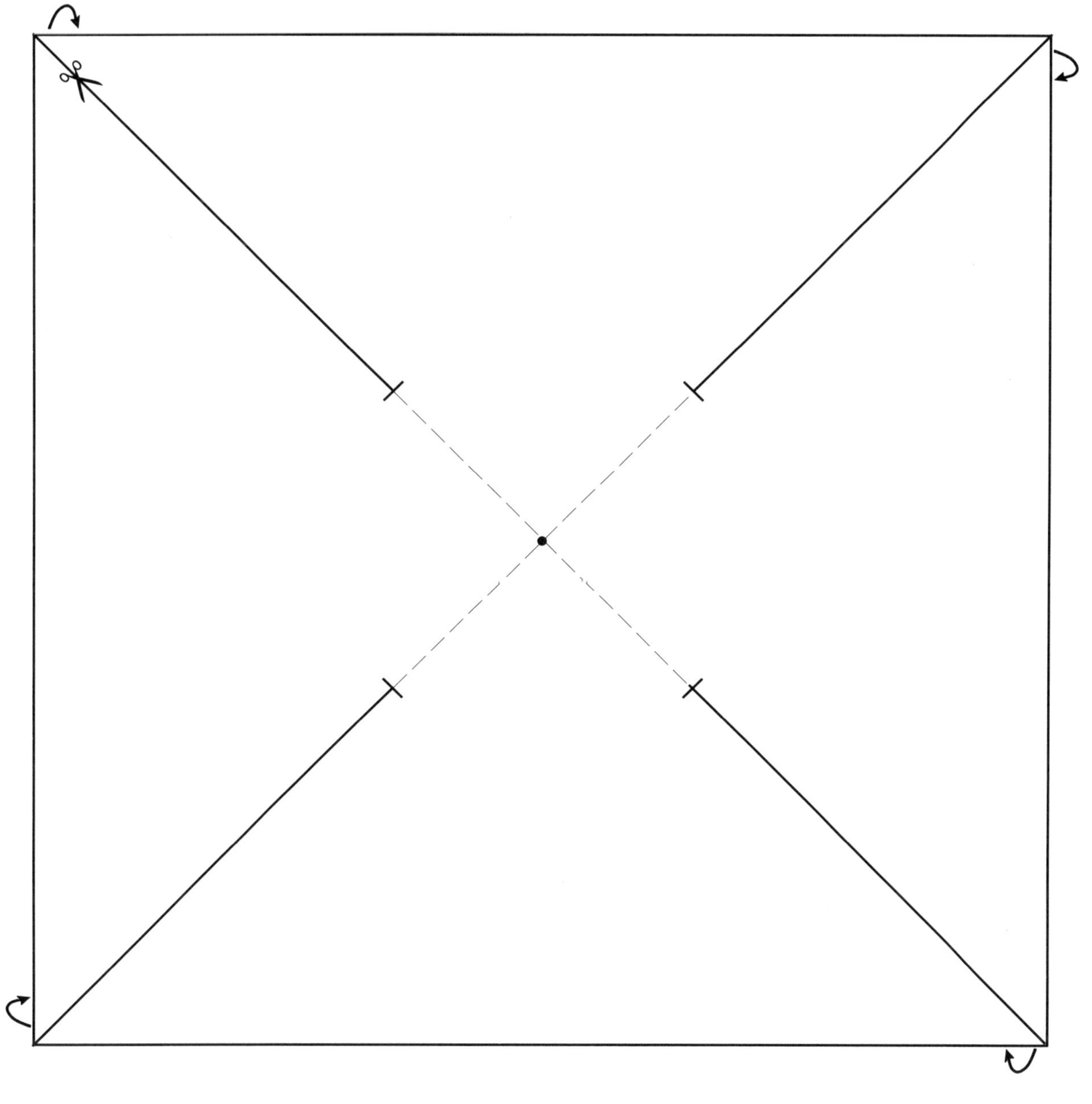

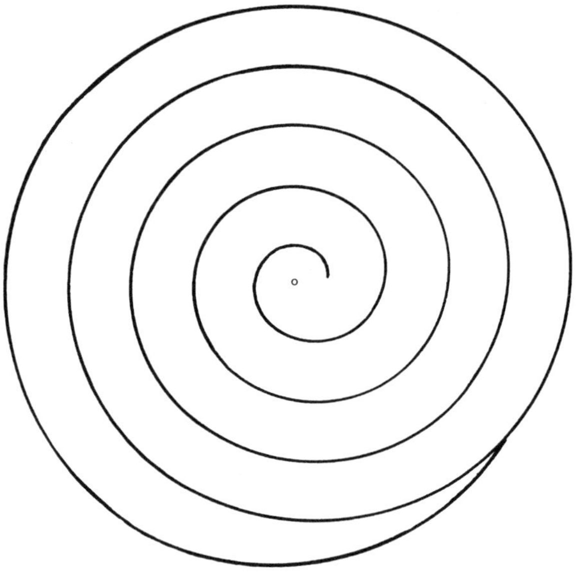

Spirale auf etwa doppelte Größe (= 200 %) vergrößern und entlang der Linie aufschneiden.

◀ Links: Beispiel wie das Figuren-Mobile gestaltet werden kann.

Figuren unten auf farbige Kartons kopieren, nach Belieben können sie dabei auch etwas vergrößert werden, z.B. um einen DIN-Sprung (= 141%)
Wer will, kann die Figuren noch bemalen und ausgestalten (vgl. Illustration links).

# Vorbilder im Glauben

Zum Thema

## Dazu wollen wir anstiften

Der kleine und große Mensch braucht Vorbilder, d.h. andere Menschen, die durch ihre Person zeigen, dass sich das Leben lohnt. Die katholische Kirche hatte immer schon »Schutzheilige« verehrt, Menschen, die durch ihren Glauben und ihr Tun überzeugend gewirkt haben, Menschen, durch die Gott seine Wunder zeigte. Aber auch Menschen, die schlicht und einfach das lebten, was sie hofften und glaubten.

Zwei Gestalten wollen wir herausgreifen und mit Kindern bedenken. Wir wählen diese Personen aus, weil sie an ihrem Ort und in ihrer Zeit mit ganzer Kraft das Nächstliegende in Angriff nahmen:

Franz von Assisi, Bruder Franziskus, wie er sich selbst nannte, lebte in Achtung vor allen Mitgeschöpfen. Ein Grundaspekt seines Lebens, der ihn gerade in unserer Zeit in ökumenischer Weite attraktiv macht. Die Liebe zu den Menschen und allen Geschöpfen kennzeichnet sein Leben. Er ist ein Mensch, der Gott lobt mit seinem Leben. Davon erzählt sein großes Lied, der »Sonnengesang« (Seite 115)

Elisabeth von Thüringen, die Heilige Elisabeth, sah als Edelfrau die Schwachen vor der Tür, die Notleidenden und Kranken, die Unglücklichen und Verzagten. Sie setzte das in die Tat um, was uns das Evangelium aufträgt (Mt 24, 35, 36 + 40). Sie gilt in beiden Kirchen als Vorbild für Diakonie und Caritas. Die Bedeutung ihres Vorbilds geht heute über den individuellen Dienst am Nächsten deutlich hinaus. Wir müssen uns nur einmal fragen: Wie hätte sie heute als Ehefrau eines Staatsmannes auf die Herausforderung globaler Ungerechtigkeit zwischen Arm und Reich reagiert?

## Theologische Überlegungen: Wie wir von Gott und seinen Heiligen erzählen können

Da wir von bestimmten Personen sprechen wollen, sind es keine bestimmten Bibelgeschichten, die zu diesen Gottesdiensten gehören. Vielmehr sind es Ausschnitte aus den Lebensgeschichten, die wir mit den Kindern anschauen, erzählen und gestalten wollen. Eine Verknüpfung mit biblischen Texten ist bei Elisabeth genannt (s.o).

Als Anregung verstehen wir das Anstiften zu einem schwesterlichen und brüderlichen Handeln. Folgende Gedanken leiten uns dabei:

Wir zeigen, wie sich eine Frau und ein Mann in ihrer Zeit engagieren. Franz von Assisi könnte als Edelmann ein Leben in Saus und Braus führen, Elisabeth von Thüringen könnte die Vorrechte ihres Standes ausleben. Beide weisen mit ihrem Leben auf Fehlentwicklungen in ihrer Gesellschaft hin, die Armut und Reichtum als von Gott gegeben hinnimmt. Sie geben ein Beispiel.

Auch heute sollen wir Christen uns einmischen. Gewaltloser Widerstand ist in jeder Zeitepoche gefragt, praktizierte Nächstenliebe immer gefordert.

Wir laden ein zur Hinwendung zu den Geschöpfen. Tiere sind unsere Mitgeschöpfe und brauchen unsere Hilfe. In Anbetracht des Aussterbens von Tierarten ist dies eine ganz besondere Aufgabe: Acht haben auf alles, was lebt und Lebensraum braucht.

Wir erzählen vom Auftrag, den wir als Christen haben: nicht nur für uns selbst zu sorgen. Wir wollen die Augen öffnen, um die anderen, die Fremden, die Armen, die Leidenden zu sehen und mitzuhelfen, dass Menschen nicht verzagen.

Wir malen Bilder der Hoffnung, dass es sich lohnt, anderen zu helfen. Es ist der Mut, die Augen vor fremder Not nicht zu verschließen. Der Schluck Wasser und der Bissen Brot zählen.

Wir machen Mut zu kleinen Schritten: Bei Kindern ist dies das Aufeinander-acht-Haben, das Teilen-Lernen, das Mitgefühl, das für Notleidende geweckt werden muss. Der kindliche Egoismus ist genügend groß.

Die Fähigkeit zum Teilen kann geweckt werden, indem:

- Kinder zusehen, wie die Mutter gebrauchte Kleidungsstücke zusammenpackt und an eine Organisation weiterschenkt.
- Kinder mitmachen, wenn Weihnachtsgeschenke für ärmere Kinder in anderen Ländern gepackt werden. Sie könnten ein Bild für andere malen oder gut erhaltenes Spielzeug dazugeben.

Keinesfalls ist daran gedacht, dass die kleinen Kinder Angst bekommen sollen, etwa durch die Aufforderung: Das, was du am liebsten hast, solltest du Kindern geben, die nichts haben. Das Kind muss erst einmal aus der Fülle leben, aber Vorbilder für Teilhaben und Teilgeben gehören schon in die frühen Jahre der Kindheit.

# Elisabeth von Thüringen

*(Entwürfe und Gestaltungsideen: Alma Grüßhaber)*

## Ihr Lebensauftrag

Das Fest der Heiligen Elisabeth ist der 19. November. Seit 700 Jahren ist sie die Patronin von Kindergärten, Kirchen und wohltätigen Vereinen. Bäcker, Bettler, Witwen, Waisen, aber auch Spitzenmacherinnen betrachten sie als ihre Wohltäterin. Ihr Leben zeigt die Geschichte Gottes mit einem Menschen, der mitten in Reichtum und Prunk von der Armut berührt wird und handelt. Sie ist eine Frau, die statt der Gier die Güte wählt, eine Frau, die austeilen kann, die Rohes und Gemeines übergeht. Sie opfert sich im Dienst der Kranken auf und entdeckt Jesus in den Geringen und Leidenden. Sie lebt das Gebot der Nächstenliebe.

## Ihre Lebensgeschichte

1207 wird Elisabeth als Tochter des Königs Andreas von Ungarn und seiner Ehefrau Gertrud von Andechs / Kärnten auf der Burg Sáros-Patak in Nordungarn geboren.
1211 beschließen der Landgraf Hermann von Thüringen und seine Frau Sofie, die ungarische Königstochter an ihren Hof auf die Wartburg nach Eisenach zu holen und sie dort zu erziehen. Sie soll später den ältesten Sohn heiraten und damit das politische Bündnis mit Ungarn besiegeln. Dies ist in jener Zeit nichts Ungewöhnliches. Elisabeth kommt auf die Wartburg und wird mit den Landgrafenkindern erzogen.
1216 stirbt jedoch der älteste Sohn. Der zweite Sohn Ludwig bittet, dass er Elisabeth heiraten darf. So darf sie auf der Burg bleiben.
1221 heiraten Ludwig und Elisabeth. Zwei Mädchen werden ihnen geboren. Als das dritte Kind unterwegs ist, stirbt Ludwig bei einem Kreuzzug. Der hartherzige dritte Bruder, Hermann Raspe von Thüringen, verstößt Elisabeth und ihre Kinder von der Burg. Mühsam muss sie das Erbe geltend machen, damit die Kinder in Klöstern sorgfältig erzogen werden können und sie selbst überleben kann.
1228 tritt sie in den »Dritten Orden« ein. Ihr Beichtvater Konrad von Marburg drängt sie dazu. Mit dem Vermögen, das sie noch besitzt, baut sie vor den Toren Marburgs ein Franziskusspital. Dort pflegt sie Menschen mit Wunden und Geschwüren, Aussätzige und Sterbende. Sie ist zur Armenpflegerin geworden.
1231, gerade 24 Jahre alt geworden, stirbt Elisabeth. Ihre Gebeine werden in der Elisabethenkirche in Marburg, die später gebaut wird, aufgebahrt. Seit den Wirren der Reformation ruht ihr Haupt bei den Elisabetherinnen in Wien.
1235 wird sie durch Papst Gregor heiliggesprochen. Auf der Wartburg sind wunderschöne Fresken von Moritz von Schwindt über ihr Leben zu sehen. Die Glasfenster der Elisabethenkirche in Marburg erzählen von ihren barmherzigen Werken. Sie ist die Frau, die herabsteigt in Leid und Not, deren Brot in Rosen verwandelt wird.

## Zur Darstellung und Gestaltung

Bewusst wurden bei den Erzählungen zwei Varianten ausgewählt:

ENTWURF A: *Aus dem Leben der jungen Elisabeth*

Eine Erzählung, die drei Lebensstationen aufnimmt: Das Leben in Ungarn, die große Reise auf die Wartburg und die junge Burgfrau Elisabeth, die zu den Armen hinabsteigt. Der Sprechtext »Alle Knospen springen auf« (Seite 106) nimmt dies anschaulich auf.

ENTWURF B: *Elisabeth und die Kranken*

Eine Geschichte, die in eine Spielzeug-Sammelaktion mündet: Erzählt wird von der Krankenpflegerin Elisabeth, die alles hergegeben hat, um für Leidende da zu sein.

Damit sollen die Kinder in ausgewählten Geschichten etwas aus dem Leben der Heiligen Elisabeth erfahren. Auf eine chronologische Lebensbeschreibung innerhalb der Gottesdienstentwürfe wurde verzichtet, da kleinere Kinder damit überfordert wären.

## Gottesdienstentwurf A: Aus dem Leben der jungen Elisabeth

**Intention:**

Obwohl Elisabeth ein reiches Mädchen ist, übersieht sie die Armen nicht.

**Liturgischer Ablauf**

Begrüßung
Lied: »Wo die Liebe wohnt« (EH 69; LJ 421; SL 156; dt. Text Seite 104)
Gebet: Psalm 121 »Gott behütet mich« (Seite 105)
Einstimmung: Raumgestaltungsvorschlag zu A ( Seite 100)
Erzählung: »Aus dem Leben der jungen Elisabeth« (Seite 100)
Sprechtext mit Bewegungen: »Alle Knospen springen auf« (Seite 106)
Lied: »Wenn jeder gibt, was er hat« (LJ 626; SL 53)
Gebet: »Gott, schenk Freude mir im Leben« (Seite 105)
Tanz zum Schreiten (Seite 104)
Vaterunser
Segen

## Gottesdienstentwurf B: Alles wird wieder gut
## Die Heilige Elisabeth und die Kranken – Ein Gottesdienst mit einer Spielzeug-Sammelaktion

**Intention:**

Elisabeth – eine Frau sieht die Not der Nächsten.

**Liturgischer Ablauf:**

Begrüßung
Lied: »Der Himmel geht über allen auf« (EH 113; LJ 364; MKL 7; SL197)
Gebet: »Gott, schenk Freude mir im Leben« (Seite 105)
Einstimmung: Raumgestaltungsvorschlag zu B (Seite 100)

- Erzählung: »Die Heilig Elisabeth und die Kranken« (Seite 102)
- Spielzeugaktion (Seite 103)
- Lied: »Brich mit den Hungrigen dein Brot« (EG 420; LJ 232; LzU 5; SL 206)
- Gebet: »Komm, wir wollen bringen« (Seite 105)
- Vaterunser
- Segen

## Bausteine zum Gottesdienst

*Der einladende Raum*

### Ausschmückung der Erzählung zu Gottesdienst A:

Szene I: Goldene Tücher, eine kleine Schmucktruhe, bunte Steine, auf den Tüchern verstreut
Szene II: Koffer, Körbe, Schachteln, Schmucktruhe
Szene III: Ein Korb, mit Rosen gefüllt, mit einem Tuch bedeckt; eine Krone

### Ausstellung zu Gottesdienstentwurf B:

Die linke und rechte Raumhälfte wie folgt aufteilen:
Linke Seite:
Krone, die auf einem schönen Brokatstoff liegt, bunte Steine, Duftöle, einige Schmuckstücke, hübsche Teller und Gläser, gefüllt mit Trauben, Gebäck ...
Rechte Seite:
Eine Schnabeltasse, ein leerer Teller, eine Brotkante, ein einfaches Krankenbett (Matte, Kissen, eine dünne Decke), Binden, Pflaster und leere Kartons (für die Aktion).

*Erzählungen*

### Aus dem Leben der jungen Elisabeth

**SZENE I:**

*(Goldene Tücher auslegen. Eine kleine Schmucktruhe, gefüllt mit bunten Steinen. Zur Vorbereitung kann mit den Kindern um diese Gegenstände herum auch eine Burg aus Holzbausteinen aufgebaut werden.)*

Auf dem Boden sitzt ein Mädchen. Sie trägt ein wunderschönes Kleid. Sie spielt mit bunten Steinen in der kleinen Truhe. Eine Dienerin tritt ins Zimmer. Sie sagt: »Elisabeth, komm, die Gäste wollen dich sehen.«
Elisabeth liebt es, wenn auf der Burg Gäste sind. Dann eilen Diener hin und her. Es gibt gutes Essen. In den Zimmern brennen viele Kerzen. Elisabeth wird in den Speisesaal gebracht.
Sie sitzt neben ihrer Mutter. »Schön, Elisabeth, dass du da bist. Schau, wir haben hohen Besuch aus einem fremden Land.« Elisabeth grüßt einen fremden Herrn. Er trägt einen prächtigen Helm und ein buntes Gewand. Freundlich nickt er Elisabeth zu. »Liebe, gnädige Prinzessin Elisabeth, sei gegrüßt. Ich bin Walter von Vargila.«
Dann beginnt das Essen. Es gibt saftige Früchte, weiche Brotstücke, Fleisch an Spießen. Die Erwachsenen trinken dunklen Wein. Alle lassen es sich schmecken. Nach dem Essen wird Elisabeth wieder in ihr Burgzimmer geführt. Sie spielt weiter.
Aber am Tisch im Speisesaal wird weitergeredet. Ritter Walter erhebt sich. Er schaut den König und die Königin an und sagt: »Wir danken, dass wir eure Gäste sein dürfen. Wir haben einen besonderen Auftrag. Wir möchten, dass eure Tochter Elisabeth mit uns kommt. Sie soll auf unserer Burg in Thüringen

aufwachsen. Später wird sie einen unserer Königssöhne heiraten. So ist es bei uns Sitte. Packt dem Kind alle schönen Sachen ein. Wir werden eine weite Reise machen.« Und dann fügt Ritter Walter hinzu: »Ich will eurem Kind ein guter Begleiter sein.«
Die Eltern sind nicht traurig. Elisabeth wird es auch im fremden Land gut haben.
Als Elisabeth von der Reise hört, ist sie ganz aufgeregt. Sie liebt es, fremde Dinge zu sehen. Sie packt vieles ein, natürlich auch das Kästchen mit den schönen Steinen und ihre feinen Kleider. Bald fahren die Pferdekutschen in den Burghof.

**Szene II:**

*(Körbe, Schachteln, Koffer, Schmucktruhe)*

Seht ihr die vielen Gepäckstücke? Alles wird eingeladen. Elisabeth sitzt ganz warm eingepackt in der Kutsche und winkt ihren Eltern. Vier Jahre ist sie alt, als sie ihre Heimat verlässt. Aber sie hat einen guten Freund, Ritter Walter. Er reitet mit dem Pferd neben ihrer Kutsche und erzählt ihr viele schöne Geschichten. Immer, wenn sie einen Halt machen, darf sie neben ihm sitzen und er gibt ihr leckeres Essen. Manchmal kommen arme Menschen zum Rastplatz und rufen: »Bitte, bitte, gebt uns zu essen.« Ritter Walter gibt ihnen etwas Brot oder Geldstücke. »Warum haben diese Leute nichts zu essen?«, fragt Elisabeth. »Sie sind arm oder krank. Wir haben mehr, wir müssen helfen«, sagt dann Ritter Walter. Das gefällt Elisabeth. »Es ist gut, wenn ich auch etwas hergebe«, denkt sie und gibt einem alten Mann einige schöne Steine aus ihrem Kästchen.
Dankbar schaut er sie an.

**Szene III:**

*(Krone und Korb mit Rosen)*

Nach langer Fahrt kommt Elisabeth auf der Wartburg an. Dort wird sie nun aufwachsen. Drei Knaben sind ihre Spielkameraden. Sie lernt schnell und erlebt vieles auf der Burg.
Dann wird sie eine junge Frau. Sie heiratet. Sie bekommt Kinder. Sie hat immer Geld in der Truhe, schöne Kleider und genug zum Essen.
Eigentlich könnte sie alle Tage schöne Feste feiern und sich vergnügen. Oft macht sie etwas ganz anderes: Sie zieht ein armes Bauerngewand an und holt aus der Speisekammer große Brote, Fleisch und Zucker und füllt damit Körbe. In der Dunkelheit steigt sie den Burgberg hinunter und geht in die Häuser der Armen. »Hier habt ihr zu essen«, sagt sie. »Ich habe genug.« Und sie freut sich, wenn die armen Menschen satt werden.
Der Familie auf der Burg bleibt das nicht verborgen. Sie schimpfen: »Wir sind Edelleute. Das darfst du nicht machen. Das ist eben so, es wird immer arme und reiche Leute geben.« Einmal wartet ihr Mann hinter einer Säule im Hof. Er will verhindern, dass Elisabeth die Speisekammer leer räumt und zu den Armen geht. Elisabeth trägt einen Korb, gefüllt mit Brot. Sie will es einer hungrigen Familie bringen. Da sieht sie ihren Mann. Sicher wird er ihr den Korb aus der Hand nehmen. In ihrer Not bittet sie Gott. »Hilf mir, Gott«, betet sie leise. Ihr Mann stellt sich ihr in den Weg. »Elisabeth«, sagt er streng, »öffne deinen Korb.« Elisabeth schlägt das Tuch zurück. Ludwig, ihr Mann, schmunzelt. Der ganze Korb ist voller Rosen. »Ach, mach den Leuten nur eine Freude«, sagt er. Elisabeth eilt rasch den Berg hinunter. Immer wieder

dankt sie Gott: »Lass mich den Menschen helfen, die in Not sind«, betet sie. Elisabeth hat in ihrem Leben noch viel Gutes getan. Später kaufte sie ein Haus und pflegte dort viele kranke Menschen. Sie hat immer das getan, was wir bis heute nicht vergessen sollen: Arme und Kranke brauchen die Hilfe der Gesunden, Starken und Reichen. So will es Gott. Manche Krankenhäuser sind nach Elisabeth von Thüringen benannt, auch einige Kirchen. Und es gibt viele Frauen und Mädchen, die diesen schönen Namen tragen.

## Die Heilige Elisabeth und die Kranken

*(Zur Ausstellung und Raumgestaltung s. Seite 100)*

**Gespräch:**
Heute haben wir für euch eine Ausstellung vorbereitet. Was zeigt die eine Seite unserer Ausstellung?
Königsschmuck, schöne Kleider, gutes Essen ...
Was die rechte Seite zeigt, will uns eine Geschichte verdeutlichen.

Es ist Abend geworden. Auch in dem großen Haus in Marburg werden Kerzen angezündet.
Eine Frau kommt ins Zimmer. Sie heißt Elisabeth. Sie trägt eine dunkles Kleid und eine weiße Schürze. Im Zimmer stöhnt ein alter Mann. Ein Kind ruft nach seiner Mutter. Eine Frau jammert immerzu: »Alles tut mir weh.« Elisabeth geht zu dem Kind. »Du sollst nicht weinen, Johannes. Alles wird wieder gut. Siehst du, du bist sehr krank. Wir haben ein Bett für dich. Wir pflegen dich und hoffen, dass du wieder gesund wirst«, sagt sie. Sie gibt Johannes zu trinken, dann gibt sie ihm etwas Suppe zu essen. Danach schüttelt sie sein Bett auf, tupft sein Gesicht ab, auf dem viele Wunden sind. Sie deckt ihn liebevoll zu und singt ihm ein Lied, bis er einschläft.
Dann eilt sie zu dem kranken Mann. Sie holt eine Schüssel mit Wasser und kühlt seinen kranken Arm. »Jakob, du musst Mut haben. Gesund wird man nur, wenn man auch wieder leben und lachen will.« Jakob brummt. Er ist froh, dass er hier einen warmen Platz hat. Elisabeth geht weiter zu der jammernden Frau. Sie ist gestürzt und hat viele Knochen gebrochen. Geduldig gibt ihr Elisabeth etwas Tee zu trinken. Leise summt sie ein Lied. Die Frau ist unruhig. Elisabeth streicht der Schwerkranken über die Stirn.
Oft ist Elisabeth müde. Jeden Tag geht das so: trösten, Wunden verbinden, kochen, Betten machen. Manchmal ist das Haus bis auf den letzten Platz voll mit kranken Menschen. Einige Mädchen helfen Elisabeth, aber die Schwerkranken pflegt sie alleine. »Lieber Gott, hilf mir, dass ich jeden Tag die Kraft habe, Gutes zu tun«, betet Elisabeth, bevor sie in ihrem kleinen Zimmer zu Bett geht.
In ihrem Zimmer hängt an der Wand ein wunderschönes Bild. Es zeigt eine Burg im Sonnenschein, spielende Kinder, Pferde, Kühe, Schmetterlinge. Auf dieser Burg hat Elisabeth gelebt. Sie ist eine vornehme Frau, keine Krankenschwester, keine Ärztin. Aber eines Tages hat sie entschieden: »Jesus, ich will dir dienen. Ich will den Notleidenden helfen. Ich will dir mit meinem Leben danken.«
Viele, viele Jahre sind seither vergangen. Elisabeth lebt schon lange nicht mehr. Aber am 19. November denken wir an sie. Sie hat mit ihrem Leben gezeigt: Keiner muss allein leiden. Gott schenkt uns Geld, Gesundheit und Ideen, dass wir Menschen einander helfen können. Wer reich ist, kann sein Geld teilen. Wer geschickte Hände hat, kann Kranke pflegen. Wer gute Ideen

hat, kann einen Garten anpflanzen und Früchte für andere ernten. Oder wir können von dem abgeben, was wir haben: Essen, Spielsachen, Kleider.
Heute machen wir so eine Aktion. Zum Gedenken an die Heilige Elisabeth geben wir etwas von uns her. Ihr habt Spielzeug mitgebracht, das repariert werden muss, damit andere Kinder damit spielen können. Ihr habt mit euren Eltern überlegt, dass ihr die Sachen hergeben wollt. Natürlich können wir keine kaputten Sachen verschenken. Aber zwei Menschen aus unserer Gemeinde (vorstellen) haben sich bereit erklärt, alles zu reparieren. Dann packen sie diese großen Pakete (auf die leeren Kartons zeigen), und schicken es nach ... Dort freuen sich andere Kinder, die vielleicht weniger zum Spielen haben.

**Aktion:**
Die Kinder bringen jetzt ihr Spielzeug und legen es in die bereitstehenden Kisten. Zwei Mitarbeiter/innen helfen dabei.
Wenn ein Kind ein Spielzeug wieder mitnimmt, sollte dies akzeptiert werden. Schenken kann ein Kleinkind von sich aus oft noch nicht. Wir wollen jedoch auf eine »bewusste« Aktion nicht verzichten.

*Lieder, Bewegung, Tänze*

## Es sind das Herz, die Hände uns gegeben

2. Brunnen graben – schöpfen – gießen
und erfrischen – Wasser reichen –
|: tränken den, der durstig ist. :|

3. Spinnen – weben – stricken – nähen,
hüllen – wärmen und bedecken,
|: wer da arm ist, nackt und bloß. :|

*(weiter auf Seite 106)* ▶

4. Türen öffnen – Einlass geben –
hüten – schützen und aufnehmen,
|: wer da fremd ist, heimatlos. :|

5. Wunden pflegen und verbinden,
Schmerzen lindern und besuchen,
|: wer da alt ist, krank und schwach. :|

6. Hoffnung geben, Freude schenken,
trösten, stärken und aufrichten,
|: wer da mutlos ist – gebeugt. :|

Text und Melodie: Franz Kett; entnommen aus: »Religionspädagogische Praxis, Handreichung für elementare Religionspädagogik«, Jhg. 1993, Nr. II, S. 55, »Brich dem Hungrigen dein Brot, dann wächst Gottes Reich«.


## Wo die Liebe wohnt und Güte (Ubi caritas)

*(Der Taizè-Gesang »Ubi caritas et amor« ist sehr bekannt, aber der deutsche Text ist in Liederbüchern selten abgedruckt. Deshalb ist er hier wiedergegeben:)*

Wo die Lie-be wohnt und Gü-te,
wo die Lie-be wohnt. Da ist un-ser Gott.

*(lat. Text: St. Gallen 8. Jh.)*

## Ein Tanz zum Schreiten

*Barockmusik, gerader Takt (z.B. Allemande, Menuett, Polonaise)*

Aufstellung: Paaraufstellung auf der Kreisbahn
Schrittfolgen:
1. 2 x 4 Schritte nach rechts
2. Paar fasst sich an den Händen, 1 Dreher im Kreis
3. 2 x 4 Schritte nach links
4. 4–5 wiederholen
5. Paaraufstellung zum geöffneten Tor
6. Alle ziehen durch.
7. Schlussstellung: Durchgefasst im Kreis

## Weitere Lieder

»Wenn jeder gibt, was er hat« (LJ 626; SL 53)
»Der Himmel geht über allen auf« (EH 113; LJ 364; MKL 7; SL197)
»Brich mit den Hungrigen dein Brot« (EG 420; LJ 232; LzU 5; SL 206)
»Alle Knospen springen auf« (EH 138; KG 78; LJ 472; MKL 112; SL 194)
»Viele kleine Leute« (KG 215; LJ 620; LzU 89)

## Gott behütet mich



*Gott behütet mich.*
*Er behütet mich auf allen Wegen, heute und immer.*

Ich schaue hin, ich schaue her und frage:
»Will mir denn keiner helfen?«
Dann fällt mir ein, dass Gott bei mir ist,
Gott, der Himmel und Erde gemacht hat.

*Gott behütet mich.*
*Er behütet mich auf allen Wegen, heute und immer.*

Gott schläft nicht.
Er führt meine Füße bei jedem Schritt.
Er ist bei mir, wie mein Schatten,
und leitet meine Hand.
Tag und Nacht steht er mir zur Seite.

*Gott behütet mich.*
*Er behütet mich auf allen Wegen, heute und immer.*

*(Gottfried Mohr)*

## Gott, schenk Freude mir im Leben

Gott, schenk Freude mir im Leben,
lass mich Liebe weitergeben.
Gut sein lass mich hier auf Erden,
frei und froh und dankbar werden.

*(Alma Grüßhaber)*

## Komm, wir wollen bringen

Alle: *Komm, wir wollen bringen Jesu Liebe in die Welt.*
*Gib uns offne Herzen,*
*gib uns Hände, die das tun, was Gott gefällt.*

Eine/r: Lieber Gott,
Elisabeth hat ihre Edelsteine und Perlen weggeschenkt.
Sie hat ihre Kleider hergegeben.
Sie hat ihr Brot mit den Armen geteilt.
Sie hat ihre Burg verlassen und ist zu den Notleidenden herabgestiegen.

Alle: *Komm, wir wollen bringen Jesu Liebe in die Welt.*
*Gib uns offne Herzen,*
*gib uns Hände, die das tun, was Gott gefällt.*

Eine/r: Jesus, du hast Elisabeth Kraft und Mut geschenkt.
Mit ihrem Geld konnte sie Brot für andere kaufen.
Mit ihren Schätzen konnte sie Menschen eine Freude machen.
Mit ihren Händen konnte sie Traurige trösten und Kranke pflegen.

Alle: *Komm, wir wollen bringen Jesu Liebe in die Welt.*
*Gib uns offne Herzen,*
*gib uns Hände, die das tun, was Gott gefällt.*

Eine/r: Danke, dass es die Geschichten von der Heiligen Elisabeth gibt.
Danke, dass du auch uns gute Ideen und Gedanken gibst,
wie wir anderen helfen können.
Lass uns heute und morgen erfinderisch werden,
wenn es um die Not anderer Menschen geht.
Wer teilt, wird nicht arm.
Wer hergibt, empfängt.
Jesus, du willst uns deine Liebe geben, die nie aufhört.

Alle: *Komm, wir wollen bringen deine Liebe in die Welt.*
*Gib uns offne Herzen,*
*gib uns Hände, die das tun, was dir gefällt.*
*(Alma Grüßhaber)*

## Sprechtext mit Bewegungen: »Alle Knospen springen auf«

| | |
|---|---|
| Alle Knospen springen auf,<br>fangen an zu blühen. | *Mit beiden Händen vor dem Körper eine sich öffnende Blüte formen.* |
| Alle Nächte werden hell,<br>fangen an zu glühen, ... | *Über dem Kopf mit den Händen blinkende Sterne zeigen.* |
| Alle Menschen auf der Welt<br>fangen an zu teilen. | *Vor dem Körper pantomimisch Brot brechen und nach rechts und links ausgeben.* |
| Alle Wunden auf der Welt,<br>fangen an zu heilen, ... | *Vorsichtig über den eigenen Arm streichen.* |
| Alle Augen springen auf,<br>fangen an zu sehen. | *Mit den Fingern eine Brille vor den Augen formen.* |
| Alle Lahmen stehen auf,<br>fangen an zu gehen ... | *Sich aufrichten und zwei Schritte zur Mitte gehen.* |
| Alle Stummen hier und da<br>fangen an zu grüßen. | *Mit den Händen einen Schalltrichter vor dem Mund formen.* |
| Alle Mauern tot und hart, | *Hände abweisend nach rechts und links halten.* |
| werden weich und fließen ... | *Hände des/der Nachbar(n)/in fassen und leicht schwingen.* |

*Die Bewegungen fließend ineinander übergehen lassen.*

# Schachtel für Schätze

Spiele, Basteln
Kreatives

**Material:**

Tonpapier oder bemaltes Zeichenpapier, Scheren, Bleistift, Klebstoff

**Herstellung:**

Aus dem Papier ein Quadrat schneiden - je nach Schachtelgröße.
Das Papier zur Hälfte falten, fest knicken, auffalten, ebenso die Gegenseite. Die vier Ecken bis zur Mitte einschlagen, bis wieder ein Quadrat vorliegt.

Nun mit der Schere von zwei Seiten bis zum Grundquadrat einschneiden (siehe Skizze unten).
Dann den Schachtelrand falten, Einschnitte einfalzen. Danach den Schachteldeckel nach dem gleichen Vorgang falten und zusammensetzen.

*Variante:*
Die Schachteln können mit kleinen Bildchen, Federn, Muscheln etc. verziert werden. Innen ggf. mit Watte auspolstern.

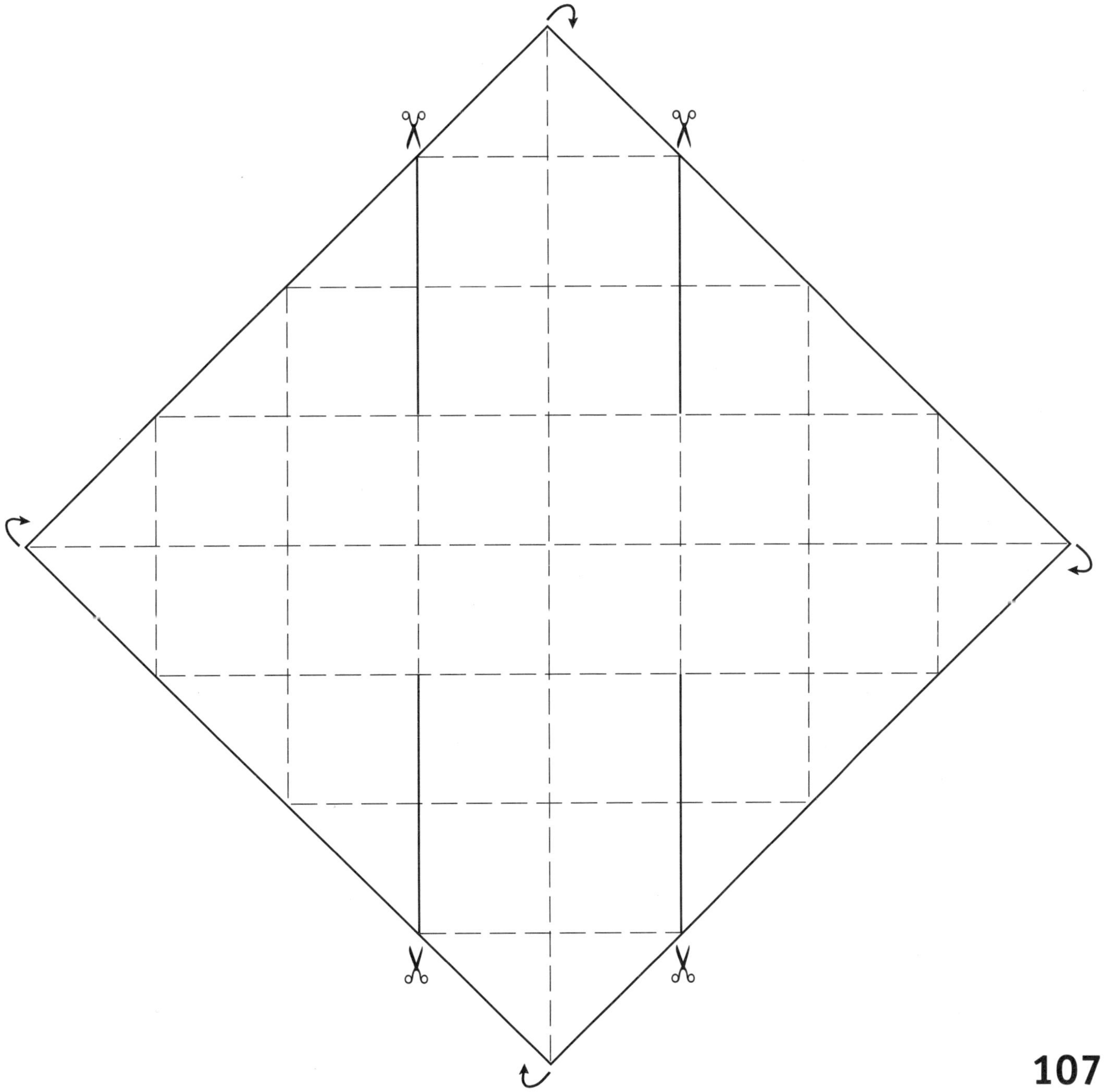

## Burgbild zum Ausmalen

**Material:**

Kopie der Vorlage (siehe rechte Seite), Farbstifte, Wachskreide

**Herstellung:**

Mit den Kindern bereden, wie sie ihre Burg anmalen können. Auch für kleinere Kinder geeignet.

## Mandala

(Heilige Elisabeth pflegt Kranke, aus: »Arbeitshilfe Religion Grundschule«, 3. Schuljahr M 13, © 1997 by Calwer Verlag)

**Material:**

Kopien, Farbstifte, Kreide oder Wachsmalkreide

**Herstellung:**

Anregung zum Malen geben; z. B. Fenster haben leuchtende Farben. Auf sorgfältiges Malen ist zu achten. Eventuell das Mandala ausschneiden und auf Karton aufkleben.

*Variante:*
Größere Kinder könnten ein Fensterbild aus Seidenpapier gestalten.

# Krone

**Material:**

Goldfolie, Bleistift, Schere, Klebstoff, evtl. bunte Steine oder Glitzerpulver.

▶ Schablonen für Krone (unten und links) auf doppelte Größe vergrößern.

**Herstellung:**

Krone nach der Schablone zuschneiden. Je nach Größe der Kinder etwas zugeben. Die Krone zusammenstecken, evtl. mit einem Tropfen Klebstoff sichern. Mit Glitzerpulver oder bunten Steinen verschönen.
*Tipp:* Die Krone eignet sich auch als Geschenk, z.B. als Geburtstagskrone.

Rechts: So kann die Krone gestaltet werden: mit einfacher oder mit doppelter Kronenspitze.

*Literatur*

*Allgemeines:*

Arbeitshilfe Religion, Grundschule 3. Schuljahr, Frauen, die sich trauen, Calwer Verlag 1997

Ursula Koch, Elisabeth von Thüringen, Die Kraft der Liebe, Brunnen Verlag, Gießen, 4. Auflage 2001 (gibt es auch als Hörbuch: 2 Toncassetten, Laufzeit ca. 200 Min.)

Ernst W. Wies, Elisabeth von Thüringen, Die Provokation der Heiligkeit, Bechtle Verlag, Esslingen/München 1993

*Bilderbuch:*

Willi Fährmann, Isolde Schmitt-Menzel, Zwölf Wünsche für Elisabeth, Echter Verlag, Würzburg, 2. Auflage 1991

*Praxisentwürfe:*

Pia Biehl, Erzähl mir was vom lieben Gott, Krabbel- und Kindergottesdienste rund ums Kirchenjahr (Seite 100–105), Verlag Katholisches Bibelwerk, Stuttgart 1999

Brich dem Hungrigen dein Brot, dann wächst Gottes Reich, Die Heilige Elisabeth, Religionspädagogische Praxis; Handreichnug für elementare Religionspädagogik, Jhg 1993, Nr. II, S.55, RPA-Verlag, Landshut

Christian Gauer, Elisabeth von Thüringen, 9 Dias, Toncassette, Laufzeit 24 Min., AV Religion, Iserlohn

# Franziskus – Franz von Assisi

*(Entwürfe und Gestaltungsideen: A. Toczek, Pfarrerin)*

## Sein Lebensauftrag

Das Fest des Heiligen Franziskus ist der 4. Oktober. Er ist Schutzheiliger Italiens und gehört zu den wenigen Heiligen des Mittelalters, die schon bald nach ihrem Tod nicht nur als Einzelgestalt, sondern im Zusammenhang mit ihren Legenden dargestellt werden. Seine »Fioretti di San Francesco« (Blümlein des Heiligen Franziskus) waren weit verbreitet. Diese Schrift umfasst die Legenden über ihn und Erzählungen um seine Wundertaten.
In der Zuwendung zu allen Geschöpfen entdeckte er seinen Auftrag und zog als armer Wanderprediger umher. Er ist Ordensgründer. Ein erstes Zeugnis italienischer Sprachkunst ist sein: »Il Cantico di Frate Sole«, der »Sonnengesang«, der bis heute gebetet und gesungen wird.

## Seine Lebensgeschichte

1181 wird Giovanni Bernadone, genannt Francesco (Franzose) in Assisi geboren. 1209 stellt er sein Leben ganz in die Nachfolge Christi und zieht als Wanderprediger umher. Die, die sich ihm anschließen, sendet er als Armen- und Krankenpfleger aus.
Für das gemeinsame Leben verfasst er eine Regel, die aus Abschnitten der Evangelien zusammengefügt ist und 1220 von Papst Innozenz III. gutgeheißen wird. Im Lauf der Jahre, ab 1219, bilden sich in Italien und über ganz Europa franziskanische Bruderschaften (Franziskaner).
1212 gründet seine Jugendfreundin Klara von Assisi den zweiten Orden (Klarissinnen), in dem Frauen aufgenommen werden. 1221 entsteht ein dritter Orden (Terziaren). 1220 gibt Franziskus die Ordensleitung ab und zieht sich in die Berge bei Arezzo zurück. Er stirbt am 3.10.1226 in Assisi. Einige Predigten (Laudes) und der »Sonnengesang« sind bis heute erhalten – neben einer Vielzahl an farbigen Legenden, die aus seinem Wirken und Leben erzählen.

## ■ Religionspädagogische Überlegungen

Franziskus entschied sich als junger Mann für ein Leben in der Nachfolge Jesu. Er verließ seine Familie und weihte sein Leben fortan dem Gebet, der Armut und der Nachfolge. Er gründete den Orden der »Minderen Brüder«, die später Franziskaner genannt wurden. Charakteristisch für Franziskus ist vor allem auch seine Liebe zu allen Lebewesen als Gottes Geschöpfe.
Diese Liebe sprengte auch zur damaligen Zeit schon viele Regeln und hatte ihren Grund in dem tiefen Glauben des Franziskus an Gott als Schöpfer aller Dinge. Seine Lebensentscheidungen waren geprägt von der radikalen Entscheidung, das Evangelium ernst zu nehmen und ins Leben umzusetzen.
Für die kleineren Kinder werden hier die beiden Schwerpunkte seines Handelns – die Achtung vor der Schöpfung und die Liebe zu allen Lebewesen, im besonderen zu den Tieren – herausgegriffen.

Am Beispiel seines Sonnengesangs und der Geschichte des Wolfs von Gubbio soll den Kindern sein Glaube an Gott und die Konsequenzen für sein Leben greifbar gemacht werden.

Was sollen die Kinder aus den Erzählungen hören?
- Gott hat alles Lebendige geschaffen, darum gehe sorgsam und liebevoll mit allem um, was dich umgibt.
- Du bist wertvoll – aber das bedeutet nicht: mehr wert als alles andere Leben.
- Liebe deine Feinde! D.h. auch der Wolf, der die Menschen bedroht, wird durch Verständnis und Begegnung zu einem partnerschaftlichen Gegenüber.

## ■ Zur Darbietung und Gestaltung

Im **Entwurf A** wird die Achtung vor der Natur ganz bewusst und pointiert in den Zusammenhang zu Gottes Schöpfung gestellt.
Nicht die allgemeine Regel: »Du musst auf die Umwelt achten, weil es um unser Überleben geht«, sondern die christliche Überzeugung: »Gott hat alles Lebende geschaffen und wir sind mit Pflanzen und allen Elementen des Himmels und der Erde wie Schwestern und Brüder verbunden« soll zur Sprache kommen. Dieser Glaube, der Franz von Assisi geprägt hat, kann den Kindern an seinem Beispiel begreifbar gemacht werden.
In diesem Entwurf steht der Sonnengesang in Verbindung mit ausgewählten Dias im Mittelpunkt. Es können selbstverständlich auch eigene Dias verwendet werden.

*Alternative 1:* Anstatt Dias die Elemente aus Tonpapier herstellen. Die Kinder bringen dann die Elemente jeweils vor und Mitarbeiter/innen befestigen sie an einem schwarzen Tuch.

*Alternative 2:* Natürliche Symbole in den Altarraum bringen: für Sonne – Sonnenblume, für Sterne – Strohsterne; für Wind und Wolken – ein Windrad; für Wasser – Wasser aus der Taufkanne ins Taufbecken gießen; für Feuer – Kerze; für Erde – Erde, Pflanzen.
*(Vgl. Münchener Kinderbibelwoche, a.a.O., S. 77)*

*Alternative 3:* Kinder bekommen vor Beginn des Gottesdienstes am Eingang Naturmaterialien, die sie dann beim entsprechenden Vers in den Altarraum bringen oder auf den Altar legen:
Gelbe Blumen für Sonne, Stroh für Mond und Sterne, rote Beeren, Blätter und abgebrannte Streichhölzer für Feuer, Federn für den Wind, Sand oder Erde für die Erde, Wasser oder Muscheln für das Wasser.

Im **Entwurf B** wird das Tier – hier im Besonderen der Wolf in Form der Legende des Wolfs von Gubbio – in den Mittelpunkt gestellt. Der böse Wolf, den die Kinder aus dem Märchen kennen, wird hier nicht durch seine besondere Zahmheit liebenswert. Vielmehr bleibt er so, wie er ist: ein Tier, das Hunger hat und dadurch zur Bedrohung für die Menschen werden kann.
Auch die Bewohner von Gubbio wollen sich zuallererst vor ihm schützen. Ihnen geht es nicht um eine besondere Beziehung. Erst Franz von Assisi bringt mit dem Gebot der Feindesliebe aus der Bergpredigt das Thema der Annahme und der Beziehung ins Spiel. Er geht dabei den Weg des Gebens

und Nehmens, den Weg des Aufeinander-zu-Gehens: die Bewohner geben dem Wolf zu essen – der Wolf bedroht die Bewohner nicht länger. Unvoreingenommen geht Franz auf den Wolf zu, aus dem Glauben heraus, dass auch der Wolf von Gott als seinem Geschöpf geliebt wird.
Der Aspekt der Ambivalenz in einer jeden Person – gut und böse – wird im Lied vom Wolf von Gubbio mit dem Refrain angedeutet: »Such das Gute in dem andern.« Dieser Gesichtspunkt wird eher von den älteren Kindern wahrgenommen und soll auch im Gottesdienstentwurf nicht in erster Linie zur Sprache kommen.

## Entwurf A : Franziskus und der Sonnengesang

*(Ideen und Gestaltung nach: Münchener Kinderbibelwoche, Leben aus der Bibel, Unterwegs mit Franz von Assisi, s. Literatur S. 122 – überarbeitet von Agnes Toczek; Gebet von Pfarrer Hartmut Mildenberger, Aichtal-Aich)*

**Intention:**

Gottes Schöpfung ist uns Bruder und Schwester.

**Vorbereitungen:**

Im Altarraum Diaprojektor und Leinwand aufstellen, Probe bei ähnlichen Lichtverhältnissen, Verlängerungskabel unfallsicher verlegen.
Falls eine Projektion nicht möglich ist, verschiedene Elemente wie Sonne, Mond, Sterne u.a. aus Tonpapier anfertigen und auf ein gespanntes schwarzes Tuch anbringen (Alternativen siehe gegenüberliegende Seite).

**Liturgischer Ablauf:**

Vorspiel
Begrüßung
Lied: »Danke für diesen guten Morgen« (EG 334; EH 101; KG 175; MKL 39; LJ 193; LzU 6)
Gebet : »Großer Gott, du hast alles gemacht« (s. Seite 118)
Dias zum Sonnengesang (Tonbildreihe TB 207, Evangelische Medienzentrale, Stuttgart)
Lied: «Laudato si" (EG 515,1-4; EH 267,1-4; KG 170,1-4; LJ 307,1-4; SL 33,1-4)
oder: «Für die Sonne wolln wir singen« (LJ 526, 1-4)
Gebet: »Sonnengesang« mit Bewegungen ( s. Seite 119)
Lied: «Laudato si" (EG 515,5-7; EH 267, 5-7; KG 170, 5-7; LJ 307, 5-7; SL 33, 5-7)
oder: «Für die Sonne wolln wir singen« (LJ 526, 5-6.8-9)
Segen

## Entwurf B: Der Wolf von Gubbio – Ein Gottesdienst mit Folienbildern und Sprechchorerzählung

*(Ideen und Gestaltung aus der Kirchengemeinde Aichtal-Aich , Erzählung von Pfarrer Hartmut Mildenberger, Folienbilder nach Vorlagen aus: Münchener Kinderbibelwoche, Leben aus der Bibel, »Unterwegs mit Franz von Assisi«, S. 61f.)*

**Intention:**

Verständnis und Annahme bauen Feindschaft ab – Es gibt nicht nur den bösen Wolf – es gibt nicht nur das böse (oder liebe) Kind.

**Vorbereitungen:**

Tageslichtprojektor mit Folienbildern in der verdunkelten Kirche bereitstellen, Leinwand oder freie Wandfläche in der Kirche bereithalten, Probe bei ähnlichen Lichtverhältnissen, Verlängerungskabel unfallsicher verlegen. Falls der Raum nicht abgedunkelt werden kann, Folienbilder auf Plakate übertragen und diese von Mitarbeitenden zu den jeweiligen Abschnitten herzeigen lassen.

**Liturgischer Ablauf:**

- Vorspiel
- Lied: »Das wünsch ich sehr« (MKL 5; LJ 488; LzU 10; SL 218; mehrmals singen)
- Begrüßung
- Gebet: »Großer Gott, du hast alles gemacht« (Seite 118)
- Einführung
- Sprechchorerzählung mit Folienbildern
- Lied: »Ja, der Wolf von Gubbio« (Seite 120)
- Gebet: »Guter Gott, danke, dass es andere gibt« (Seite 120)
- Vaterunser
- Lied: »Wenn einer sagt, ich mag dich du« – Kindermutmachlied (KG 150; LJ 624; LzU 55; SL 221)
- Segen
- (Zum Mitgeben: Franziskus-Mandala zum Ausmalen, S. 123)

## Bausteine zum Gottesdienst

*Der einladende Raum*

### Entwurf A: *(s. Alternative 3, S. 112)*

Den Altarraum wie ein leeres Bild / eine leere Landschaft gestalten: mit umgedrehten Obstkisten, zusammengeknülltem Zeitungspapier, darauf braune oder grüne Tücher legen, z.B. farbige Leintücher oder Tischdecken.
Die Kinder bringen die Naturmaterialien, die sie am Eingang erhalten haben, nach und nach in die Landschaft ein.

*Einführung*

### Entwurf A:

Heute hört ihr etwas von einem Mann, der vor vielen hundert Jahren gelebt hat. Franz von Assisi war ein großer und hübscher Mann. Er war der Sohn eines reichen Kaufmanns aus Assisi in Italien. Eines Tages sagte er zu seinem Vater: »Ich hab dich sehr lieb, aber ich will nicht mehr so leben wie du. Ich verzichte auf alles Geld und will ab jetzt ein einfaches Leben führen. Ich will so leben, wie Jesus gelebt hat: immer unterwegs sein, Armen helfen und selber arm sein. Ich will allen erzählen, dass Gott alles geschaffen hat – Sonne, Mond und Sterne.
Sie alle sind meine Brüder und Schwestern. Und Gott ist der Vater von uns allen. Alle sind Kinder Gottes: die Tiere und Pflanzen, die Sonne und der Mond, die Blumen und die Bäume, der Wind und das Wasser. Und so sind wir alle eine große Familie.
Und Franz von Assisi dichtete darüber ein schönes Lied, in dem zuallererst die Sonne genannt wird. Das Lied heißt »Sonnengesang«. Und einige Strophen will ich euch jetzt vorlesen.
Dazu sehen wir ein paar Bilder – und hören auf sein Lied.

*(Erzählt nach: J. Quadflieg, Ivan Gantschev, Franziskus, »Der Mann aus Assisi«; und: Luis de Horna, »Das Lied von Schwester Sonne«, s. Literatur Seite 122)*

### Entwurf B:

Sicher habt ihr schon einmal einen Wolf gesehen – in einem Bilderbuch oder beim Besuch im Zoo. Ihr kennt sicher auch das Märchen vom Wolf und den sieben Geißlein.
Da hat der Wolf Hunger und versucht, die sieben Geißlein zu fressen. Heute hört ihr eine Geschichte von einem anderen Wolf, der auch Hunger hat. Nicht die Geißlein, sondern die Menschen in einem Ort namens Gubbio haben

Angst vor ihm. In der Geschichte hört ihr von einem Mann, der Franziskus heißt. Er hatte eine gute Idee, wie er den Menschen von Gubbio und dem hungrigen Wolf helfen kann. Aber dazu brauchen wir eure Hilfe.
Wir hören diese Geschichte von Franziskus und dem Wolf – wir sehen Bilder dazu – und wir selbst geben den Menschen von Gubbio eine Stimme.
Immer wenn der/die ... (der Name der Chorführerin /des Chorführers wird hier genannt) die Bewohner von Gubbio etwas sagen lässt, dürft ihr dasselbe nochmals wiederholen – so laut, dass es alle in der Kirche hören.
Nun kann es losgehen mit der Erzählung vom Wolf von Gubbio.

## Entwurf A: Sonnengesang mit Dias

Die Erzählung

Im Lied des Franziskus gibt es einen Vers, den wir als Kehrvers wiederholen wollen. Den lese ich euch mal vor:

*Höchster, allmächtiger, gütiger Gott!*
*Mit allen deinen Geschöpfen will ich dich loben und preisen.*

Ihr merkt, das ist ein Lied für Gott. Leider kennen wir die Melodie nicht. Wahrscheinlich hat Franz die Melodie für sich allein gesungen. Aber sprechen können wir diesen einen Vers gemeinsam. Versuchen wir's mal:

*Höchster, allmächtiger, gütiger Gott!*
*Mit allen deinen Geschöpfen will ich dich loben und preisen.*

Nun zum ersten Vers:

Zuerst sei gelobt durch die Schwester Sonne: *Dia 6 und 8*
Durch sie gibst du uns das Licht für den Tag.
Sie ist wunderschön, strahlend,
ein Abbild deiner Schönheit, ewiger Gott.

Dann sei gelobt durch den Bruder Mond *Dia 9 und 10*
Und durch all meine Brüder, die Sterne:
Du hast sie an den Himmel gestellt,
Lichter der Nacht, kostbar und hell.

*Höchster, allmächtiger, gütiger Gott!*
*Mit allen deinen Geschöpfen will ich dich loben und preisen.*

Gelobt seist du, Gott, durch den Bruder Wind, *Dia 11–13*
durch die Luft, unsre Schwester,
durch Regenwolken und klares Wetter,
durch alles, was unser Leben erhält.

Gott, sei gelobt durch die Schwester, das Wasser! *Dia 16 und 17*
Nützlich ist es, kostbar und rein.

*Höchster, allmächtiger, gütiger Gott!*
*Mit allen deinen Geschöpfen will ich dich loben und preisen.*

*Dia 18 und 19*

Sei gelobt durch unsern Bruder, das Feuer!
Es leuchtet im Dunkeln,
warm und freundlich,
es brennt und glüht und ist stark.

*Dia 22 und 23*

Gelobt seist du, Gott, durch die Erde,
unsere Schwester und unsere Mutter!
Blumen bringt sie in Fülle hervor,
Frucht trägt sie zu unserer Nahrung.

*Höchster, allmächtiger, gütiger Gott!*
*Mit allen deinen Geschöpfen will ich dich loben und preisen.*

Text aus Josef Quadflieg, Ivan Gantschev, »Franziskus. Der Mann aus Assisi«, Patmos-Verlag, Düsseldorf 2000, Textrechte beim Autor.
Dias aus Tonbildreihe TB 207 »Der Sonnengesang«, Evangelischen Medienzentrale, Stuttgart

## Entwurf B: Sprechchorerzählung mit Folienbildern

Mitwirkende: Erzähler/in, Chorführer/in und alle Kinder als Einwohner von Gubbio, Franziskus – (Vorlagen für die Folienbilder siehe Seiten 124ff.)

*(Was der/die Chorführer/in sagt, wiederholen die Kinder im Sprechchor.)*

*Bild 1: Franz und die Vögel*

Erzähler/in: Franz kümmerte sich nicht nur um die Kranken. Er war auch ein Freund der Tiere. Alle Wesen waren für ihn seine Geschwister. Die Sonne und der Mond waren ihm Bruder und Schwester, wie die Bäume und Blumen. Besonders die Tiere liebte er. So verstand er, was sie redeten und die Tiere verstanden, was er zu ihnen sagte. Oft entdeckten die Menschen ihn, wenn er in der Einsamkeit mit den Vögeln sprach. Die Leute sagten, er predigt den Tieren. Dabei sprach er nur mit seinen Brüdern und Schwestern.

*Bild 2: Wolf*

Erzähler/in: In der Nähe von Assisi gab es einen Ort, der hieß Gubbio. Dort trieb ein großer wilder Wolf sein Unwesen. Er holte sich die Schafe aus den Herden, die Hühner aus dem Stall und er fiel auch die Bewohner von Gubbio an. Die Einwohner hatten Angst.

Chorführer/in: Was sollen wir bloß machen?
Alle: Was sollen wir bloß machen?

Chorführer/in: Der Wolf frisst unsere Tiere!
Alle: Der Wolf frisst unsere Tiere!

Chorführer/in: Weiß denn jemand Rat?
Alle: Weiß denn jemand Rat?

*Bild 3: Bewohner mit Franziskus*

Erzähler/in: Einmal kam Franziskus nach Gubbio, um den Menschen dort von Gottes Liebe zu predigen. Da wussten die Leute, wen sie fragen konnten.

Chorführer/in: Franziskus, der Wolf bedroht uns!
Alle: Franziskus, der Wolf bedroht uns!

Chorführer/in: Der Wolf ist der Feind unseres Dorfes.
Alle: Der Wolf ist der Feind unseres Dorfes.

Chorführer/in: Kannst du uns denn helfen?
Alle: Kannst du uns denn helfen?

Franziskus: Ich weiß nicht, ob ich euch helfen kann. Ich will erst einmal sehen, ob Jesus dazu etwas sagt.

Erzähler/in: Franz setzte sich hin und schlug die Bibel auf. Er las:

*Bild 4: Franz und die Bibel*

Franziskus: So spricht Jesus: »Ihr wisst, dass es heißt: Liebe deinen Mitmenschen, hasse deinen Feind. Ich aber sage euch: Liebt eure Feinde und betet für alle, die euch verfolgen. So erweist ihr euch als Kinder eures Vaters im Himmel. Denn er lässt seine Sonne scheinen auf böse Menschen wie auf gute, und er lässt es regnen auf alle, ob sie ihn ehren oder verachten.« (Mt 5,43–45)

Erzähler/in: Franz erkannte: Wenn der Wolf der Feind der Bewohner von Gubbio ist, dann müssen sie anfangen, ihn zu lieben, sonst würde er sich nie besänftigen lassen. Er ging wieder zu den Leuten von Gubbio und sprach mit ihnen.

Franziskus: Hört her, ihr Leute von Gubbio. Ihr müsst anfangen, den Wolf zu lieben, sonst wird er immer euer Feind bleiben.

*Bild 5: Bewohner von Gubbio und Franz*

Chorführer/in: Wie sollen wir das machen?
Alle: Wie sollen wir das machen?

Franziskus: Seid ihr bereit, etwas von dem abzugeben, was euch gehört?

Chorführer/in: Ja, wir sind bereit, etwas abzugeben.
Alle: Ja, wir sind bereit, etwas abzugeben.

Franziskus: Seid ihr bereit, dem Wolf Futter auf die Gassen zu legen, damit er Nahrung findet?

Chorführer/in: Ja, wir sind bereit, ihm Futter zu geben.
Alle: Ja, wir sind bereit, ihm Futter zu geben.

Franziskus: Seid ihr bereit, dem Wolf die Chance zu geben, sich zu ändern?

Chorführer/in: Ja, wir sind bereit, ihm eine Chance zu geben.
Alle: Ja, wir sind bereit, ihm eine Chance zu geben.

Franziskus: Gut, dann gehe ich in den Wald und rede mit dem Wolf.

Erzähler/in: Franz machte sich auf und ging zu dem Wolf. Er hatte keine Angst, denn er wusste: Alle Tiere und alle Menschen sind Gottes Geschöpfe, die er liebt. So konnte auch er den Wolf

*Bild 6: Wolf und Franz*

lieben wie einen Bruder. Weil er ihn so sehr liebte und achtete, verstand ihn der Wolf, als er zu ihm sprach.

Franziskus: Bruder Wolf, ich verstehe, dass du großen Hunger hast. Aber, Bruder Wolf, Gott will nicht, dass unter seinen Geschöpfen Feindschaft ist. Die Bewohner von Gubbio sind deine Brüder und Schwestern. Deshalb ist es nicht richtig, dass du den Bewohnern von Gubbio die Schafe raubst und die Hühner stiehlst und ihnen Angst einjagst. Bruder Wolf, ich bitte dich: Tu niemandem mehr ein Leid an. Dafür werden dich die Bewohner des Dorfes jeden Tag mit Futter versorgen.

Erzähler/in: Der Wolf hatte jedes Wort verstanden und willigte in den Vorschlag ein. Als er das nächste Mal in das Dorf kam, fand er sein Fressen. Die Bewohner hatten es ihm auf die Gasse gelegt. Sie hatten dem Wolf verziehen und gaben ihm eine Chance.

*Bild 7: Bewohner mit Wolf*

Erzähler/in: Bald kam der Wolf jeden Tag ins Dorf. Er lebte friedlich mit den Menschen zusammen – und sie mit ihm.

Chorführer/in: Hättet ihr das gedacht?
Alle: Hättet ihr das gedacht?

Chorführer/in: Der Wolf ist unser Freund geworden.
Alle: Der Wolf ist unser Freund geworden.

Chorführer/in: Die Bibel hat es uns gezeigt.
Alle: Die Bibel hat es uns gezeigt.

Chorführer/in: Nur so bekommen wir den Frieden,
Alle: Nur so bekommen wir den Frieden,

Chorführer/in: wenn wir auch unsere Feinde lieben.
Alle: wenn wir auch unsere Feinde lieben.

*Rituale und Gebete*

## Großer Gott, du hast alles gemacht

Großer Gott, du hast alles gemacht:
Die Sonne, den Mond, den Tag und die Nacht,
den Himmel, die Erde, das Wasser, den Schnee,
die Tiere am Lande, die Fische im See,
ein Kleid für die Erde: grün, gelb, blau und rot,
die Blumen, die Wälder, wir freuen uns, Gott!

Aus: Regine Schindler, »Gott, ich kann mit dir reden«, © Verlag Ernst Kaufmann, Lahr 2002

## Danke, guter Gott

Danke, guter Gott,
dass wir hier zusammen in der Kirche Gottesdienst feiern.
Wir sind nicht allein hier.
Mama oder Papa, Geschwister und Freunde sind da.
Viele, die mich lieb haben.
Guter Gott, auch du hast mich lieb.
Du verstehst mich und freust dich mit mir.
Dafür danke ich dir.

*(Agnes Toczek)*

## Sonnengesang mit Bewegungen

*(Der wiederkehrende Gebetsvers wird von allen Mitarbeiter/innen und allen Gottesdienstbesuchern mitgesprochen. Ein Mitarbeiter/eine Mitarbeiterin liest das Gebet, eine andere Person zeigt die Gesten.)*

| | |
|---|---|
| *Höchster, allmächtiger, gütiger Gott!*<br>*Mit allen deinen Geschöpfen*<br>*will ich dich loben und preisen.* | *Hände nach oben öffnen.* |
| Mit Schwester Sonne,<br>sie wärmt und gibt Licht, | *Mit den Händen einen Kreis formen.* |
| mit Bruder Mond und den Sternen,<br>sie erhellen die Nacht, | *Mit den Händen eine Mondsichel formen, die Hände zeigen nach oben auf die vielen Sterne.* |
| mit Bruder Wind und den Wolken,<br>sie machen das Wetter. | *Mit dem Mund kräftig blasen.* |
| *Höchster, allmächtiger, gütiger Gott!*<br>*Mit allen deinen Geschöpfen*<br>*will ich dich loben und preisen.* | *Hände nach oben öffnen.* |
| Mit Schwester Wasser,<br>es löscht uns den Durst, | *Wellenbewegungen mit den Händen formen.* |
| mit Bruder Feuer, es reinigt und leuchtet, | *Mit einem Zischen in die Hocke runtergehen und hochfahren, wie ein Feuer auflodert.* |
| mit Mutter Erde, sie<br>nährt und bringt Blumen. | *Hände flach auf den Boden legen.* |
| *Höchster, allmächtiger, gütiger Gott!*<br>*Mit allen deinen Geschöpfen*<br>*will ich dich loben und preisen.* | *Hände nach oben öffnen.* |
| Mit allen, die Krankheit und Tod erleiden, | *Kopf senken, Hände auf der Brust kreuzen.* |
| mit allen, die vergeben und Frieden stiften, | *Einander die Hände reichen.* |
| mit allen, die dich, Gott, lieben. | *Hände nach oben öffnen.* |

*Höchster, allmächtiger, gütiger Gott!*
*Mit allen deinen Geschöpfen*
*will ich dich loben und preisen.*

*(nach Franz von Assisi – überarbeitet von Hartmut Mildenberger)*

## Guter Gott, danke, dass es andere gibt

Guter Gott, danke, dass es andere gibt,
die zu mir sagen: ich hab dich lieb.
So hat auch Franziskus zum Wolf gesagt:
Ich hab dich lieb, ich gebe dir zu essen.
Und die Menschen von Gubbio haben etwas gegeben von ihrem Essen.
Guter Gott, lass mich daran denken,
dass du die anderen auch lieb hast.
Bevor ich ihnen nichts abgebe, weil ich sie nicht leiden kann.
Oder weil ich Angst vor ihnen habe.
Danke, dass du das Gute in mir und in jedem anderen suchst.
So können wir uns alle gemeinsam freuen und froh sein.

*(Agnes Toczek)*

*Lieder, Bewegung, Tänze*

## Ja, der Wolf von Gubbio

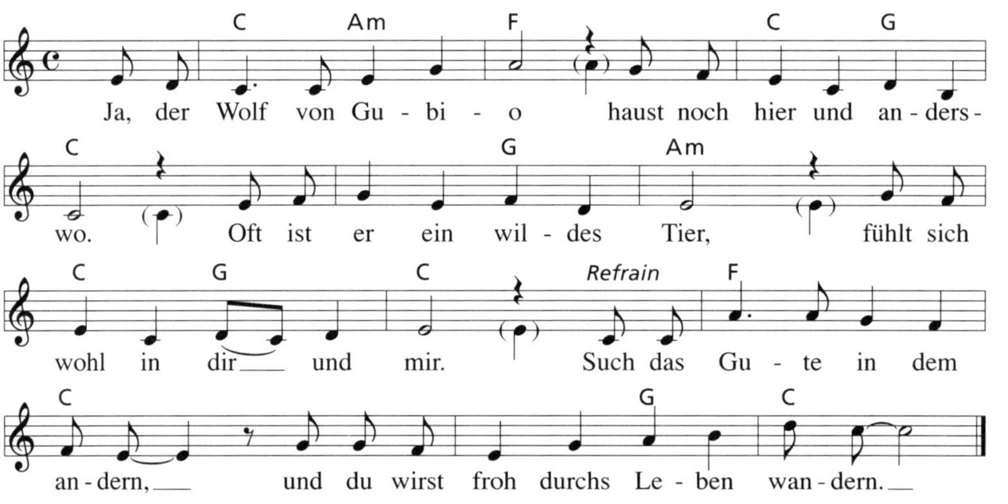


Text: Marianne Marquart; Melodie: Yulia Pavlova. Rechte: Münchener Kinderbibelwoche, 1997

## Weitere Lieder

»Danke für diesen guten Morgen« (EG 334; EH 101; KG 175; MKL 39; LJ 193; LzU 6)
«Laudato si" (EG 515,1-4; EH 267,1-4; KG 170,1-4; LJ 307,1-4; SL 33,1-4)
«Für die Sonne wolln wir singen« (LJ 526, 1-4)
»Das wünsch ich sehr« (MKL 5; LJ 488; LzU 10; SL 218; mehrmals singen)
»Wenn einer sagt, ich mag dich du« – Kindermutmachlied (KG 150; LJ 624; LzU 55; SL 221)

## Sonne, Mond und Sterne usw. aus Tonpapier

**Material:**

Große Tonkartonbögen, DIN A 2 oder 50 x 70 cm, in den Farben sonnengelb, gelb, weiß, grau, rot, braun, blau.
Für Sonne, Mond, Sterne, Wolke, Feuer, Blumentopf mit Erde, Wasser:
Schwarzes Tuch (mind. 4 m x 2 m), zwei Kartenständer zum Befestigen oder ein Seil, an dem das Tuch mit Klammern befestigt werden kann,
Doppelklebestreifen zum einfachen Befestigen gleich auf der Rückseite der Symbole anbringen.

**Werkzeug:**

Scheren, Klebstoff, Doppelklebeband, Klammern, dicke Filzstifte für die Umrandung der Gegenstände.

**Gestaltung:**

Symbole möglichst groß (mindestens DIN A 3) auf Tonkarton aufmalen und ausschneiden, Umrandung mit dickem Filzstift; schwarzes Tuch sicher und nicht in direkter Reichweite der Kinder anbringen (dasselbe gilt für das Seil).

## Franziskus-Mandala

**Material:**

Festes Tonpapier oder Tonkarton, runde Mandalascheibe, DIN A 4, mit Bild 4 »Franz und die Bibel« in der Mitte,
darum herum die Bilder 2, 3, 5, 6 und 7 (s. Vorlagen S. 124–125).
Tonpapier oder Tonkarton in hellen Farben.

**Werkzeug:**

Scheren, Zirkel, Klebstoff, farbige Stifte zum Umrahmen der Kreise

**Gestaltung:**

Mandalas fertig stellen und den Kindern am Ende des Gottesdienstes mitgeben, alternativ Mandala nur mit Bild 7 in der Mitte und außen frei gestalteten Motiven.

## Alle gehen wie ...

*(Kann mit Musik unterlegt werden.)*

Die Kinder gehen nach Ansage des Spielleiters / der Spielleiterin:

— wie auf einem wohlig warmen Boden, auf den die Sonne geschienen hat, und der sich davon noch ganz warm anfühlt.

— wie im Sturm. Es kommt eine große Windböe und bläst uns fast um, wir stemmen uns gegen den Wind.

— wie durch Pfützen, wir springen hinein.

— wie über glühende Kohlen, der Boden ist heiß.

— als ob wir ganz schwer und träge wären, wir fühlen bei jedem Schritt den Boden unter uns.

Aus: Münchener Kinderbibelwoche, a.a.O. Seite 81

## Teddybärenspiel

Alle Kinder und die Leiter/innen der Gruppe gehen langsam durch den Raum. Es kann dazu leise, ruhige Musik vorgespielt werden. Unterwegs sollen sich die Kinder treffen, d.h. zwei Kinder bleiben kurz beieinander stehen, sehen sich an, umarmen sich, sagen sich gegenseitig ein gutes Wort und gehen dann weiter, bis sie wieder einen Partner/eine Partnerin für die Umarmung finden.
Wenn ein Kind nie umarmt wird, gleichen die Leiter/innen das dadurch aus, dass sie gerade dieses Kind umarmen und ihm ein gutes Wort zuflüstern.

Aus: Münchener Kinderbibelwoche, a.a.O. Seite 66

## Kreis des Vertrauens

Die Kinder stellen sich zu einem engen Kreis auf. Ein Freiwilliger/ eine Freiwillige geht in die Mitte, legt seine/ihre Arme gekreuzt über die Brust und schließt die Augen. Die übrigen Kinder halten das Kind zunächst für kurze Zeit in dieser Haltung locker fest, um es dann reihum von Kind zu Kind vorsichtig weiter zu reichen. Das Kind in der Mitte soll seine Füße möglichst im Mittelpunkt des Kreises fest stehen lassen und den Körper steif und gerade halten. Die anderen Kinder vergrößern langsam den Kreis und verkleinern ihn anschließend wieder, bis er die Größe des Anfangs hat.

Aus: Münchener Kinderbibelwoche, a.a.O. S.68

## *Literatur*

**Bilderbücher**

Willi Fährmann, Annegert Fuchshuber, Franz und das Rotkehlchen, Echter Verlag, Würzburg 1989
Kinderbilderbuch zum Thema: Franz und die Vögel – Freiheit statt Käfig

Luis de Horna, Das Lied von Schwester Sonne , S. Benno-Verlag, Leipzig 1990
Kinderbilderbuch zum Leben, v. a. zum Sonnengesang von Franz von Assisi

Josef Quadflieg, Ivan Gantschev, Franziskus, Der Mann aus Assisi, Patmos-Verlag, Düsseldorf 2000
Kinderbilderbuch zum Leben von Franz von Assisi

Georges Verton, Francois Place (Illustrationen), Der mit den Vögeln sprach, Verlag Ernst Klett, Stuttgart 1996. Kinderbilderbuch über das Leben des Franz von Assisi mit Sachinformationen

Ursula Wölfel, Bruder Franz von Assisi, Patmos Verlag, Düsseldorf 1981
Kinderbilderbuch zu seinem Leben

**Arbeitsmaterial**

Münchener Kinderbibelwoche 1997, Leben aus der Bibel, Unterwegs mit Franz von Assisi,
Bezugsanschrift: Münchener Kinderbibelwoche, Dipl.-Relpäd. (FH) Gerhard Simmert, Keferloherstraße 70, 80939 München, Telefon 089/3 56 13 10, Fax 089 /3 50 75 62

Regine Schindler, Gott, ich kann mit dir reden. Gebete, die uns begleiten, Verlag Ernst Kaufmann, Lahr 2002

Tonbildreihe »Der Sonnengesang« TB 207, auszuleihen bei der Evangelischen Medienzentrale Stuttgart, Evangelisches Medienhaus GmbH, Augustenstraße 124, 70197 Stuttgart, Telefon 0711/2 22 76-67-70, Fax 0711/2 22 76-71, E-Mail: emz.EMH@elk-wue.de – oder in ähnlichen Einrichtungen

Unten: Die 5 Motive für das Mandala (siehe rechte Seite)

Bild 2

Bild 3

Bild 5

Bild 6

Bild 7

**Kopiervorlagen zur Sprechchorerzählung mit Folienbilden**
(siehe Seite 116 ff.)

▶ Bitte beachten: Sämtliche 7 Bildvorlagen sind beim Kopieren um einen DIN-Sprung (von 100 % auf 141 %) zu vergrößern.

Bild 1

Bild 2

Bild 3

Bild 4

Bild 5

Bild 6

Bild 7

### Durch das Kirchenjahr

Beate Brielmaier, Max und Sarah entdecken das Kirchenjahr, Verlag Katholisches Bibelwerk, Stuttgart 2001

Barbara Cratzius, Kinder im Kirchenjahr, Geschichten, Lieder, Gedichte und Rätsel, Spielszenen und Bastelanleitungen für Advent und Weihnachten, Ostern, Pfingsten und Erntedank in Familie, Schule und Gemeinde, Brunnen Verlag, Gießen, 4. Auflage 1988

Helmut Jaschke, Feste im Kirchenjahr, Erzählbausteine für Religionsunterricht und Kindergottesdienst, Kösel Verlag, München 2000

Siegfried Macht, Gemeinsam durch das Kirchenjahr, Texte, Lieder, Tänze, Spiele, Meditationen und Bastelideen, Brunnen Verlag, Gießen 1999 (mit CD)

Josef Quadflieg, Das große Buch von den Heiligen Namenspatronen, Das Leben von 138 Heiligen für Kinder erzählt, Patmos Verlag, Düsseldorf 1995

Joachim Schmidt, Feste des Christentums – Kindern erklärt, Bedeutung, Symbole, Feiern, Gütersloher Verlagshaus, Gütersloh 1998

Gertaud Weitinger, Mit Kindern das Kirchenjahr erleben, Christliche Feste verstehen und feiern, Weltbild Verlag, Augsburg - München 1999

### Kindergottesdienstmodelle zum Kirchenjahr

Pia Biehl, Erzähl mir was vom lieben Gott ..., Krabbel- und Kindergottesdienste rund ums Kirchenjahr, Verlag Kath. Bibelwerk, Stuttgart 1999

Willi Hoffsümmer, 3 x 30 Ideen für Gottesdienst, Kindergarten und Grundschule, Grünewald Verlag, Mainz 2002

Bernhard Hopf, Susanne Raab, Lieber Gott, wir sind hier, Kindergottesdienste mit allen Sinnen, Grünewald Verlag, Mainz 2001

Werner Kuchar, Gerhard Schleier, Zeit für Kinder 2, Fundgrube für Kindergottesdienste, Verlag Junge Gemeinde, Leinfelden-Echterdingen – Lahn-Verlag, Limburg-Kevelaer 2001

Werner Kuchar, Gerhard Schleier, Zeit für Kinder 3, Fundgrube für Kindergottesdienste, Verlag Junge Gemeinde, Leinfelden-Echterdingen – Lahn-Verlag, Limburg-Kevelaer 2002

Norbert Thelen, Wir erleben die Bibel, Kindergottesdienste im Kreis, Grünewald Verlag, Mainz 1999

### Weitere Literatur zur Gestaltung von Gottesdiensten mit Kleinkindern

Pia Biehl, Erzähl mir mehr vom lieben Gott ..., Krabbel- und Kindergottesdienste zu biblischen Geschichten, Verlag Katholisches Bibelwerk, Stuttgart 2000

Eva Damm u.a., Kinder begegnen Gott, 16 Wortgottesdienste für Kleinkinder, Bonifatius Verlag, Paderborn 2001

Alma Grüßhaber, Vom Mitmachen und Mutmachen, Kindergottesdienst mit 4-7Jährigen, Verlag Junge Gemeinde, Leinfelden-Echterdingen, 4. Auflage 2000

Doris Kruger, Brigitte Wieland, Das Fest des Lebens, Mit Kindern Gottesdienst feiern, Verlag Junge Gemeinde, Leinfelden-Echterdingen – Lahn-Verlag, Limburg-Kevelaer 2001

Susanne Scheidt, Marion Vieth (Hg.), Wir feiern Kinderkirche, 25 Gottesdienste für Kinder bis 6, Grünewald Verlag, Mainz 1999

### Liederbücher

Manfred Bauer, Herr, du bist mein Freund, Religiöse Kinderlieder, RPA Verlag GmbH, Landshut, 2. Auflage 1996

Elsbeth Bihler, Walburga Schnoch, Hans-Heinz Riepe (Hg.), Schwerter Liederbuch »Singt dem Herrn«, BDKJ Verlag, Paderborn, 7. Auflage 1990

Andreas Ebert u.a., Das Kindergesangbuch, Claudius Verlag, München, 4. Auflage 2000

Erdentöne – Himmelsklang, Neue geistliche Lieder, Diözese Rottenburg-Stuttgart (Hg.), Schwabenverlag, Ostfildern 2001

Markus Hartenstein, Gottfried Mohr (Hg.), Liederbuch für die Jugend, Geistliche Lieder für Schule und Kindergottesdienst, Quell – Gütersloher Verlagshaus, Gütersloh, 20. Auflage 1999

Detlev Jöcker, Liederbuch zum Umhängen, 100 der schönsten religiösen Kinderlieder, Menschenkinder-Verlag, Münster, 2. Auflage 1990

Menschenkinderlieder, Beratungsstelle für Gestaltung von Gottesdiensten und anderen Gemeindeveranstaltungen, Eschersheimer Landstraße 565, Frankfurt, 6. Auflage 1990

### Bücher für Eltern

Erzähl mir vom Glauben, Ein Katechismus für Kinder, mit Begleitheft für Eltern und Erzieherinnen, Gütersloher Verlagshaus, Gütersloh, Verlag Ernst Kaufmann, Lahr, 6. völlig neu bearbeitete Auflage 2000

Willi Fährmann, Wie sieht Gott eigentlich aus? Wunderbare Geschichten zum Erzählen und Vorlesen, Arena Verlag, Würzburg 2001

Monika Hofmann, Rolf Roßteuscher, Geschenke des Himmels, Kleine Kinder und ihre Eltern entdecken das Wunder des Lebens, Kösel Verlag, München 2001

Kreativ vom Glauben erzählen, Geschichten und Aktionen verstehen und gestalten, Gütersloher Verlagshaus, Gütersloh, Verlag Ernst Kaufmann, Lahr 2002

Angela Reinders, Kinder brauchen Gott, Wie man Kindern Vertrauen in das Leben schenkt, Pattloch Verlag, Augsburg 2001

Friedrich Schweitzer, Das Recht des Kindes auf Religion, Ermutigung für Eltern und Erzieher, Gütersloher Verlagshaus, Gütersloh 2000